D1156780

SV

Karl Krolow

Gesammelte Gedichte

Suhrkamp Verlag

Erstes bis drittes Tausend 1965

Satz und Druck in Linotype Garamond von Gg. Wagner, Nördlingen
Bindearbeiten von Hans Klotz, Augsburg

Die Fahrt ins Innere
der Augenblicke leuchtet
in bengalischem Feuer

1944

In der Fremde

Der rote Ziegel bröckelt unterm Fuß,
Wenn ich um die verbrannte Mauer streiche,
Vorm sanft gefleckten Ahornschatten weiche,
Mir aus dem fetten Laub die runde Nuß
Entgegenwächst, daß ich sie bald erreiche.

Ich laß sie gern und nehm das Prangen nicht
– Das Licht, das sich vor meinem Aug entzündet –
In mein vom Traum verwüstetes Gesicht.
Geist des Mariengarns umspinnt es dicht.
Das blaue Mohnkorn ist mit ihm verbündet,
Das müde macht und in den Schläfen sticht.

Die Straße fällt zurück im blinden Blick,
Wird im bespritzten Gatter mir verhaßt,
Ist Staub und Kot, davon der Sperling praßt.
Ich fühl die rauhen Sterne im Genick
Und wie der Mond nach Fisch und Vogel faßt.

Ich hör die fremden Schritte um mich her.
Und harte Stimmen nisten in der Stube.
Im Wiesengrund dreht flackernd ihre Tube
Die Herbstzeitlose, vom Verfalle schwer.
Laut pocht das Herz im Hals aus kalter Grube.

Die Toten nehmen in der Dämmrung zu.
Sie schweben – Bast und Bärlapp in den Haaren.
Wie sie mir dumpf im Blattlicht widerfahren,
Streif ich sie langsam mit dem flachen Schuh
Und fühl sie nahe, die vergessen waren.

Der Nächtliche

Für Friedrich Rasche

Zwischen meinen wilden Haaren
Hängt das Licht.
Schlafwind ist hindurchgefahren,
Mondtier lauerte im Klaren,
Stürzte sich ins Angesicht.

Ist mir übern Rock gekrochen
Kalt ins Tuch,
Hat nach Mähdesüß gerochen,
Trocknem Quendel, den seit Wochen
Überall die Wiese trug.

Hab im Ohr die feinen Stimmen
Aus dem Laub.
Seh im Fluß die Ratte schwimmen
Und das Schilficht rötlich glimmen
Unterm feuchten Sternenstaub.

Mir im Nacken Wolken fliegen.
Und ich fühl
Sich im Napf die Eichel biegen,
Aron seine Früchte wiegen,
Von der Nacht geschwärzt und kühl.

Spür die Leimkrautblüte offen.
Ungehemmt
Hat ihr Atem mich getroffen,
Mischt sich mit den dunklen Stoffen
Um mich her und wird mir fremd.

Will mit krummen Fingern schreiben
In die Luft,
Mit der Erdenkälte treiben.
Und es soll von mir nichts bleiben
Als ein kurzer Windhalmduft.

Auf dem Fluß

Mit Ufern, die langsam entgleiten,
Fliehn windige Wiesen zur Seiten,
Wehn Grasfahnen tief in die Luft.
Schafgarbe und Kälberkropf schwangen
Frohlockend vorüber und drangen
Ins Blut uns mit trockenem Duft.

Gewittriges Licht will uns dienen.
Das gelbe Gebrause der Bienen
Vergaßen wir mählich im Ohr.
Kuhschelle mit leisem Geläute,
Wildwicke, die kurz uns erfreute:
Schon steht uns die Dämmrung bevor!

Schon mischte Geruch sich vom Harze
Mit flackernder Erde. Ins schwarze
Und grüne Gewässer fiel Nacht.
Spelzflocken und Teufelszwirne
Zerrieben wir stumm an der Stirne
Und haben im Finstern gewacht.

Mahlzeit unter Bäumen

Sitzen im gefleckten Schatten.
Luft kommt lau wie Milch gestrichen.
Kreis hat zaubrisch sich gezogen,
Und die Hitze ist gewichen.

Sicheln, die wie Nattern zischten,
Klirrten am erschrocknen Steine.
Grüne Glut drang aus der Wiese.
Distel biß am bloßen Beine.

Durch die Feuer der Kamille
Flohen wir auf blanker Sohle,
Heuumwirbelt, in die Kühle
Von Lavendel und Viole.

Stille summt im Käferflügel.
Ruhn, vom Ahorn schwarz umgittert.
Auge schmerzt vom Staub der Kräuter,
der im lauten Lichte zittert.

Und wir schneiden Brot und Käse.
Weißer Wein läuft uns am Kinne.
Des gelösten Geists der Pflaume
Werden wir im Fleische inne.

Hände wandern überm Korbe.
Fester Mund, er ward verhießen.
Weiche Glieder, braun geschaffen,
Im bewegten Laube fließen.

Weide

Schwankend mit der Fläche Korn, umhalst
Von den blonden Gräsern, die wie Bärte wehen,
Vom zerflossnen Winde kühl gesalzt,
Muß sie langsam sich am schwarzen Wasser drehen,
Krümmt sie sich und wird verzehrt vom warmen
Mund der feuchten Pflanzen, die den Fluß umarmen.

Plumper Stamm, von Fäulnis bleich bepilzt,
Manchmal süß beschwert von einer Bienentraube.
Vogelflöten, das im Raume schmilzt,
Kommt zu End und herbergt nun im kargen Laube,
Von der Katzensohle sanft beschlichen. –
Kraft ist jäh aus dem verdorbnen Baum gewichen.

1945

Hand vorm Gesicht

Hand vorm Gesicht! Sie hält
Kurz nur das Sterben ab.
Grube im Nacken fällt,
Beere am Aronstab.

Rose am leichten Stock
Wird unterm Finger Staub.
Leuchtendes Kirschgeflock
Ist schon des Windes Raub.

Ratloser Mund! Er schweigt,
Ins Schwinden still gedehnt,
Wenn sich mein Schatten zeigt,
Süß an die Luft gelehnt.

Wenn träg die Pappel samt,
Löwenzahnlampe lischt,
Vieles bleibt unbenamt,
Wie sich's in Trauer mischt,

Wie es sich ungenau
Hin zum Vergehen drängt,
Faltermann, Falterfrau
Mutlos im Lichte schwenkt.

Über mir weiß ich schon
Stimmen aus schwarzem Schall,
Laubhaft gehauchtem Ton,
Und spür den Stirnverfall.

Rückwärts mit leisem Schrei
Stürz ich ins Leere hin,
Hart hinterm Tod vorbei.
Fühl, daß ich's nicht mehr bin.

Katze im Sprung

Sie schlägt mit den Krallen den spitzen Mond,
Die fliegende Mondspur im Laub.
Durch Blumenwände, von Schreien bewohnt,
Fegt ihr Leib wie gewittriger Staub.

Luft schwankt wie Spinnweb, und flammig zuckt
Sie auf unterm federnden Sprung.
Wie den Lichtfleck, der sich im Graben duckt,
Zieht's sie mit in den lautlosen Schwung:

Schwebt der knisternde Balg, das elektrische Tier
Durch die Stille, die duftende Nacht,
Verteilt an die Schwärze, nicht dort und nicht hier,
Vom Fluge gewichtlos gemacht.

Fährt mit glimmenden Lichtern als Sternfackel hin,
Die im flatternden Äther brennt,
Wie die Windsbraut ins Leere, mit schwindendem Sinn,
Der den rasenden Absturz nicht kennt.

Neumond

Nicht aus der Achsel der Wolke,
Die stürzte aufs Sims sich als Regen,
Löst er sich leise,
Blitzt nicht im trägen
Grunde der bläulichen Molke.

Hängt nicht am Sterne der Miere,
Verzückt am Melonenkernschilde.
Aufwärtsgebogen
Spürt ihn das wilde
Blasen der stampfenden Stiere.

Aber die treibenden Schiffe
Im Sund hat er an sich gezogen,
Unsichtbar fliegend.
Ihm sind gewogen
Mohnhaupt und nächtliche Pfiffe.

Über der speichelnden Otter,
Die schläfrig am Raine sich windet,
Steht er im Scheitel,
Und er erfindet
Zeichen im feurigen Schotter.

Reißen den Schoten die Nähte
Am Busch in den Sommerverstecken,
Schwebt er vorüber,
Sich zu entdecken
Als der vom Lichte Verschmähte.

Warmer Herbst

Im zarten Wind ist aufgehängt
Die Vogelschwinge,
Die fette Ammer, die sich fängt
In loser Schlinge.
Auf helle Fahrt
Geht, traumbewahrt,
Der Geist, der die Kastanie drängt
Aus grüner Zwinge.

Am dunklen Strome sind gekocht
Die Blätterschwärme.
Versprüht ist der Nachtkerzendocht
Im Wirbel Wärme.
Durch Schieferstaub
Kommt's wie Geschnaub
Der Hitze, die im Boden pocht,
Im Tiergedärme.

1946

Pappellaub

Sommer hat mit leichter Hand
Laub der Pappel angenäht.
Unsichtbarer Schauder ist
Windlos auf die Haut gesät.

Zuckt wie Schatten Vogelbalg,
Spötterbrust, als winzger Strich:
Ach, schon wird es Überfall,
Wie sie blätterhin entwich!

Luft, die unterm weichen Flug
Kurzer Schwinge sich gerührt,
Schlägt wie blaue Geißel zu,
Die die dumpfe Stille führt.

Grüne Welle flüstert auf.
Silbermund noch lange spricht,
Sagt mir leicht die Welt ins Ohr,
Hingerauscht als Ungewicht.

Die Schiffe

Mit dem Pesthauch, den Gasen
Von Tang und faulendem Hai,
Fahren sie lautlos. Es blasen
Mondwärts die Winde vorbei,
Werfen hinab zu den Fischen
Regen wie Speichel dazwischen.

In die löschenden Lichter
Fällt wie Gelächter die Nacht,
Regnet der Regen dichter,
Duftet das Süßholz der Fracht,
Schwebt über Planken, die schwitzen,
Quälender Dunst der Lakritzen.

Hunde heulen, und Schritte
Kommen im Finstern gescharrt,
Nehmen in ihre Mitte
Angst, die sie froschfingrig narrt.
Und zwischen Balken und Taue
Krümmt sich die höllische Klaue.

Seufzer schallen von oben
Hinter den Schiffen her,
Klagen, dem Nichts verwoben
Und von Gesichten schwer,
Während die Kiele schon streichen
Hin zu den andern Bereichen.

1947

Der fremde Reiter

Er kommt im zarten Abend,
Ruhlos durch Schatten trabend,
Die duften überm Fluß
Nach Milch und Nuß.

Es schläfert ihn im Sattel.
Sein Antlitz – braune Dattel –
Schwebt flüchtig vor ihm her
Im Ungefähr.

Durch grüner Dämmrung Gitter,
Ein lautloses Gewitter,
Treibt rissig sein Gesicht
Im Aschenlicht.

Die Augen – Zwillingssterne –
Irren zur Nachtlaterne,
Dem frühen Mondbeginn,
Benommen hin.

Luft, die aus blauen Löchern
Den Schädel, spitz und knöchern,
Ihn nymphisch-sanft umfließt,
Den Ritt genießt.

Von Birnen schwer, die reifen
Spaliere nach ihm greifen
Und seinem schwarzen Pferd,
Das aufwärts fährt

Mit zauberischen Hufen
Über die Weinbergstufen
Gen Ophir, wenn im Wind
Goldfunken sind

Und dumpf im Blätterschauer
Gebiert auf dunkler Mauer
Sein Junges der Skorpion,
Der Welt zum Lohn.

Selbstbildnis mit der Rumflasche

Trügerisches Bild aus diesen Jahren,
Antlitz, das sich durch die Flasche dehnt
Und ertrinkt im tiefen, wunderbaren
Geisterwasser! Das mit Aschenhaaren,
Schwarzen Zähnen nach dem Mond sich sehnt,
An die Nacht gelehnt!

Ach, ich bin es, und ich schlucke Feuer,
Das mir duftend meinen Gaumen sengt:
Augen, blaugerändert, nicht geheuer,
Und das Kinn umschattet schon ein neuer
Stoppelbart, in dem der Staub sich fängt,
Gelber Zucker hängt.

Und ich zieh den Atem ein und kaue
Ruhelos im Mund den süßen Rum.
Was ich sann, verwuchs mit meiner Braue.
Und das Nichts – behaarte Teufelsklaue –
Spür ich, biegt mir meinen Nacken um,
Zwängt den Rücken krumm.

Trügerisches Bild! Die dunkle Flasche
Fährt als seliges Schiff mir scheitelhin,
Wächst mir aus der Hand, schlüpft durch die Masche
Meines Traums, drin ich gefangen bin.
Und sie streift den fremden Tropenhimmel,
Negerlippen und Jamaika,
Löst sich auf im sphärischen Gewimmel
Mir zu Häupten und dem Jenseits nah.

Nächtliches Flötenspiel

Ihr flüchtigen Bilder,
Gemalt in die Lüfte!
Der Mondfisch streift milder
Die Wasserminzdüfte.

Er springt aus dem Grase,
Er fliegt durch die Bäume
Beim süßen Geblase,
Schenkt Inbrunst der Träume.

Wie Öl zischt im Feuer,
Mit bebender Flanke,
Fährt Wind durchs Gemäuer: –
Ein dunkler Gedanke.

Die Töne, die Klagen
Fliehn perlend nach oben,
Vom Lufthauch getragen,
Zur Nacht aufgehoben.

Verstrickt in Verlangen,
In altes Gelüsten,
Ziehn – mondkrautbehangen –
Sie Milch aus den Brüsten.

Die Klagen, die Töne,
Dem Holze entsprungen,
Sind tief schon ins schöne,
Ins Fleisch eingedrungen

Und tragen den Wandel
Ans Ohr, ein Erwecken,
Bis unter die Mandel
Als seligen Schrecken.

Terzinen vom früheren Einverständnis mit aller Welt

Erinnerungen sind Jagdhörner
Deren Ton im Winde vergeht.
Apollinaire

Die schöne Stille der Gewächse
– Zerbrechlich wie die Fabel Welt –
Umschlang ich sanft im Arm der Echse.

Zerbrechlich wie die Fabel Welt,
So ritt ich auf des Windes Nacken,
Den Oberon zusammenhält.

So ritt ich auf des Windes Nacken:
Ein grüner Schatten ohne Laut,
Befreit von meiner Schwere Schlacken.

Ein grüner Schatten ohne Laut.
Ach, von den Fischen trug ich Flossen
Und atmete durch Tigerhaut!

Denn von den Fischen trug ich Flossen.
Mein Geist erheiterte sich still.
Vom Gleichmut tausendfach genossen,

Erheiterte der Geist sich still,
Mit allen Wesen einverständig,
Zypressenfeuern, Asphodill.

Mit allen Wesen einverständig,
Beharrlich, ohne Ungeduld,
Und wie das Flötenholz lebendig.

Beharrlich ohne Ungeduld.
Kein Kartenspiel der Schwermut mehr: –
Wie Süßigkeit, die frei von Schuld

Verschwendet sich im Ungefähr . . .

Terzinen drei Uhr nachts

Es rührt das Leuchtgas meiner Träume
Den leichten Muskel Herz mir an,
Betäubt es, daß es sich versäume.

Den leichten Muskel Herz rührt's an,
Indes die Nacht mit ihren Dolchen
Nach seiner Grube zielen kann.

Die nackte Nacht mit ihren Dolchen,
Die währt bis an den Hahnenschrei
Und atmet Mond und spukt mit Strolchen,

Die währt bis an den Hahnenschrei.
Sie schlitzt mir mit dem Mondesmesser
Die Brust, daß roten Schnaps ich spei.

Schlitzt mit dem kühlen Mondesmesser
Entschlafne Blumen an der Wand
Und teilt die dunstigen Gewässer.

Entschlafne Blumen an der Wand
Hör ich mit dünnen Lippen sprechen.
Gelöst ist ihrer Zungen Band,

Daß sie mit dünnen Lippen sprechen
Vom Dschungel namenloser Zeit,
Aus dem die gelben Katzen brechen:

Der Dschungel Nacht der leeren Zeit,
Wenn aus den Uhren Leguane
Ins Zimmer kriechen, wenn es schneit

Den Schnee der Frühe, die ich ahne.

Elegie für ein spielendes Kind

Wähle gemach! . . . Horche hin, lausch' nach oben und unten!
Wähle die Zeit, unsre Zuflucht, den Kinderballon, rot aus Luft,
Schaukelnd im Leeren, im Leuchtfeuer stürzender Stunden,
Lautloser Stunden des Einst von entweichendem Duft.

Kühlt deine Achseln Verhängnis: – mit Häusern und Brücken,
Flughäfen tränenlos treibe elastisches Spiel.
Wähle die Hoffnung! Entwirf und zerschlag dein Entzücken,
Spiel mit der Straße, drauf nie ein Gewehrschuß noch fiel.
Baue Gebüsche wie Brüste, wie erste Genesung,

Drinnen Verzweiflung noch nicht ihre Schwinge gerührt,
Schädel nicht schrecken, gefaltet von rascher Verwesung.
Sammle im Blute dir Welt, die dich sänftiglich führt.

Wähle gemach! . . . Schon hat uns die Erde errichtet
Grünliche Gabeln der Äste und Pfosten der Tür,
Dran man uns aufknüpft im Finstern, vom Monde belichtet,
Der wie ein rotes Gesäß rollt, ein großes Geschwür:

Pavianhintern, der glüht. – Bei Bier und Zigarren
Frieren die Mörder und treten verlegen im Kreis,
Kauen Erbrochnes im Mund hinter Zähnen und harren
Des Gerichts, das sie ausläßt, und singen ganz leis.

Elegie vom Harren in der Nacht

Dumpfer Ruf, der mich würgt wie Krallen
Und mein Harren verräterisch teilt,
Der aus beinernem Laube gefallen,
Aus der bläulichen Lampe, die heilt,

Wenn mir abends die Schultern erstarren
Und in Angst Fleisch vom Fleische sich löst
Im zerfließenden Wind der Guitarren.

Dumpfer Ruf, der mich würgt wie mit Krallen
Und mein Harren vergeblicher macht,
Der mich quält wie Gefistel, wie Lallen
Des Schrecks in erschütterter Nacht,

Wenn ich Schluchzen der Kehle ersticke
Und die Flanke des Dunkels mich streift,
Drin ich flüsternde Tote erblicke.

Dumpfer Ruf, der mich würgt wie mit Krallen,
Mich in ratlosem Harren verwaist,
Zur Gespensterschlacht lautlos, beim Schallen
Des Nichts, das kein Ohr mehr zerreißt,

Wenn erloschenen Blicks ich mich kehre
Den Stimmen zu, schmerzlich, der Welt
Der schönen Maschinengewehre.

1948

Verlassene Küste

Wenn man es recht besieht,
so ist überall Schiffbruch.
Petronius

Segelschiffe und Gelächter,
Das wie Gold im Barte steht,
Sind vergangen wie ein schlechter
Atem, der vom Munde weht,

Wie ein Schatten auf der Mauer,
Der den Kalk zu Staub zerfrißt.
Unauflöslich bleibt die Trauer,
Die aus schwarzem Honig ist,

Duftend in das Licht gehangen,
Feucht wie frischer Vogelkot
Und den heißen Ziegelwangen
Auferlegt als leichter Tod.

Kartenschlagende Matrosen
Sind in ihrem Fleisch allein.
Tabak rieselt durch die losen
Augenlider in sie ein.

Ihre Messer, die sie warfen
Nach dem blauen Vorhang Nacht,
Wurden schartig in dem scharfen
Wind der Ewigkeit, der wacht.

Ballade

Mond schlug in mich seine Kralle,
Den kein Dunkel auf Armen mehr trug.
Im lautlosen Sternenfalle
Rann bitter wie Schöpsengalle
Die Zeit in den Mitternachtskrug,
In die Luft, die sich rollte wie Schlangen,
Wie sie kühl in der Schwärze gehangen.

Die zarten Baumstimmen sogen
Die Wasser der Stille ein.
Von Heuhaufenschatten umflogen,
Den Schlingen des Schweigens betrogen,
Hör ich heiser die Toten schrein,
Die das Mondhorn – ein Rudel Hyänen –
Anbellen, mit rissigen Zähnen.

Sie zeigen sich – haarig wie Geißen –
Die Schultern gebogen und stark.
Die Schädelmelonen gleißen.
Sie drehen auf bröckelnden Steißen
Aus Werg und Holundermark
Und werfen die weißliche Hüfte
Ins wallende Dickicht der Lüfte.

Sie werden zu Laub. Ihre Schritte,
Wie raschelnde Nattern, fliehn fern
In die Tiefe der Nacht, deren Mitte
Sich schwärzt wie erfrorene Quitte
Und duftet nach Mandelkern.
Vom Lichte nach oben gezwungen,
Bin ich vom Mond schon verschlungen.

Fische

Die bei Molch und Alge schliefen,
Sanft vom grünen Stein beschattet,
Traumerstarrt in blinden Tiefen,
Zeigen sich und drehn im schiefen
Licht die Schwänze, früh ermattet.

Ruhig leuchten ihre Flossen.
Wind kämmt die gelöste Welle.
Vogel kommt vorbeigeschossen.
Und sie stehen, zart gegossen,
In der jäh geweckten Helle.

Unkenruf aus Hollergräben
Tönt im Ohr wie ferne Trommel.
Weißling und Forelle schweben.
Und die glatten Kiemen beben.
Antwort gibt die dunkle Dommel.

Glänzt der gelbe Mond gebogen,
Regen sich geflammte Lurche,
Kommen Hecht und Barsch gezogen.
Vom Gestirne angesogen,
Wandern Aale durch die Furche.

Rundes Maul fährt aus den Fluten.
Blankes Wasser muß sich teilen.
Fischhaupt steigt in goldnem Gluten,
Wird am Angeldorne bluten,
Reusenmasche wird's ereilen.

Räuber, der im Boote lauert:
Messer zuckt schon in den Händen!
Kühler Gott im Schlamme kauert.
Hilflos sieht er's an und trauert,
Wie die Graugeschuppten enden.

Morgenlied

Die Frühe hat mit gelbem Rahm
Die Bettstatt mir gezinkt.
Im Tabaklicht der Kammer kam
Ich zu mir, noch vom Schlafe lahm,
Indes die Nacht versinkt.

Nun schwankt der Morgen leicht wie Bast,
Der mir im Fenster hängt.
Ich spüre meines Leibes Last
Jetzt sanfter, da ihn jäh erfaßt
Die Kühle, die sich drängt.

Des Lichtes bitteres Gemisch
Mir in den Augen schmerzt,
Schlag in die Pfanne mit Gezisch
Das Ei ich mir und rück den Tisch,
Die Daumen fettgeschwärzt.

Ich brech mir weißes Brot dazu
Und lob sein zartes Korn.
Das Eiweiß schluck ich, nehm in Ruh
Den Mund voll Rum, fahr in die Schuh
Und lausch dem Wind im Dorn,

Dem Tagwind, der im Schlehenknick
Die sauren Beeren schwenkt,
Bis meine Zunge weiß und dick
Am Gaumen klebt und sich mein Blick
Betäubt zu Boden senkt.

Im Mittag

Wo aus Blättern ein Himmel beginnt,
Eine Flut in Basilien steigt,
Geht von heimlichen Stimmen ein Wind,
Der mir still an die Augen reicht,
Von der grünen Laternen Gewicht
Mir mit trockener Stimme spricht.

Meine Augen im Mittag sind ganz
Aus bitterem Silber gemacht:
Zwei Vögel aus Schatten, im Glanz
Zerschnittener Früchte erdacht,
Zwei Tauben, vergehend im Blaun
Beim Immortellengeraun.

Sie künden ihr Glück überm Laub,
Auf dem Rücken der Luft schon entführt,
Wenn mit fließenden Fingern der Staub
Die Wange des Herzens mir rührt,
Im sanften und wachen Gesicht
Entzündet aus Asche ein Licht.

Notturno am Fluß

Die Asche meiner Stimme
Streut in den Fluß
Ich, daß sie abwärts schwimme
Wie Spur von Ruß,

Ein Schatten unter Fischen,
Die groß und faul
Mit schwarzer Schuppe zischen
Im Mondesmaul.

Hab über mich gezogen
Des Schweigens Tuch,
Von Geisterlaut umflogen,
Draus Fieber schlug,

Stechmückenton, der Feuer
Durchs Blut mir trieb,
Im alten Nachtgemäuer
Verborgen blieb.

Und meines Leibes Schwärze,
Der ich entflohn,
Wirft mir die Sternenkerze
Hin als Skorpion.

Die Luftorange bebend
Im Wasser steht,
Unter dem Monde schwebend,
Der sanft sie mäht,

Die süße Frucht aus Stille
Und grauem Wind,
Die mir in der Pupille
Zu Licht gerinnt,

Indes mit grünen Bärten
Anstieg die Flut,
In zarten Algengärten
Sich ausgeruht

Und in die Nacht gehangen
Mein Aug, das blind
Im Dunkel ist vergangen,
Drin Rufe sind.

Ende eines Sommers

Später Sommer, zerbrochen,
Alt wie die Ader im Stein!
Bitterer Buchs hat gerochen,
Drang durch die Haut in mich ein.
Kann ihn nicht fassen, nicht halten,
Wie von der Schwelle er löst
Auf sich in luftge Gestalten,
Feurig vom Winde entblößt.

Sommerantlitz, vergessen
Ruhst du im Grunde nun bald,
Brennender Schatten, in dessen
Tiefen lockt zarte Gewalt,
Kraft, die die Ecker, die Eichel
Stark macht, die Kürbisse schwellt,
Da schon aus Humus und Speichel
Buk die entfremdete Welt.

Göttliche Mitte des Jahres,
Schauder und Hauch von dir blieb.
Rieselndem Regen gleich war es:

Licht, drin ich träumelos trieb,
Als, voll Gemüse, die Karren
Bogen sich unterm Gewicht. –
Nun schreckt im Laube mich Scharren,
Narrt mich ein Rübengesicht.

Lied, um sich seiner Toten zu erinnern

Die Toten, die
sind anspruchslos ...
Jules Laforgue

I

Gesichter wie zerquetschte Beeren,
Die man aus einer Schüssel fischt:
Ich schau euch hinter den Gardinen
Der Tage, die der Gram verwischt.

Ihr nähert euch, von den Harpunen
Des Totensommers noch durchbohrt,
Von Kränzen schwarzer Alphabete
Wie schönen Wolken dicht umflort.

Begraben vom Emaillehimmel
Des raschen Sterbens lebt ihr nun
Und schüttet aus der Wasserflasche
Euch Heiterkeit auf euer Ruhn.

Das Leid zerschmilzt euch sanft im Nacken.
Die Silbenrätsel sind gelöst
Der Worte, ihre tiefen Schatten:
Angst, die die Nacht euch eingeflößt.

Erinnrung, wie ein Ei zerflossen,
Quält euch nicht mehr, die ihr mich grüßt.
Ihr habt die Läufe der Gewehre
Vergessen schon, die ihr durchsüßt

Von Träumen, eurem Ebenbilde
Und einem andern Leben seid.
Ihr braucht die Hände aus den Taschen
Nicht mehr zu ziehen, schlagbereit.

Das Gas, das euch im Halse würgte,
Entwich schon längst mit leisem Schrei,
Und die vom Schmerz zerfransten Schläfen
Sind leicht und von Geschossen frei.

Stichflamme eures Tods verwehte.
Gesponnen ist die Luft, die trägt
Mir euer Flüstern her wie Knistern
Von Sternen, die das All bewegt.

II

Von Regen-Zähren still gebadet,
Im Pflanzenschatten kommt ihr her
Und lächelt aus den Augenwinkeln
Begrünung, vom Vergessen schwer.

Die leichte Spur von eurem Fleische
Hält sich verhohlen noch im Licht.
Wie Silben klaren Wassers bilden
Sich Laute hinterm Angesicht

Euch, das sich aus Gebüschen bildet
Und einer kleinen Wolke Sand,
Aus einem Blattwerk ganz aus Asche,
Durch das sich stumm die Rose wand,

Im unbekannten Wind geläutert:
Die schwarze Rose aus Chemie.
Ihr kommt, Laternen in den Haaren,
Zerbrechlicher als Träume, die

Im Schierlingshimmel sich verhauchen,
Und tragt die Mattigkeit der Zeit
In euren bodenlosen Herzen.
Ihr haltet euch für mich bereit.

Den Lassowurf der Hoffnung übt ihr
Nach meinem schmutzigen Gesicht,
Indes ich als ein Haufen Kleider
Begraben bin vom Welt-Gewicht.

Nachtstück mit fremden Soldaten

Ihr Schläfer der Nacht, beieinanderliegend, die Hüften
Gepreßt in die Minze, in Duft von zerstoßnem Salbei,
Unter Blättern der Zeit, im chimärischen Strom aus den Lüften,
Wenn – aus Mauern ein Tanz – die Dämmerung flutet vorbei,
Die Nymphe des Dunkels, die unsichtbar hinter den Schalen
Der Walnuß sich herbergt, in reizbare Stille entrückt,
Wenn im Gras meiner Brust die Schmerzen verstummen, die Qualen,
Und von Spinnen verwebt sich der Himmel mit Schwärze geschmückt:

Hör ich im Laube lachen
– Verbrannt vom Salz der Laugen –
Soldaten, fremd, mit flachen
Maschinengewehraugen.

Ihr Hadesschläfer, im Nacken die ruhigen Sterne,
Die Feuer der Luft, die verbrennen im sandigen Wind,

Auf Wegen aus Schatten und Asche, dicht unter des Mondes Laterne,
Seid ihr versammelt, die Haare voll Heu, sanft und blind,
Durchtränkt von den Tiefen, dicklippig wie Neger, im Arme
Die himmlische Wahrheit wie Korn, wie ein Duft, den man raubt,
Geliebt von Persephone eben noch, an die warme
Und süße Umschlingung der Träume gefesselt, mit hängendem Haupt!

Ich hör im Laube lachen
– Verbrannt vom Salz der Laugen –
Soldaten, grau, mit flachen
Maschinengewehraugen.

Ihr lautlos Erwachten jetzt, Schmetterlinge im Barte,
Langsam singend im Wind, die Hemden vom Brustbein gestreift,
Seligen Antlitzes, dem sich entrollt nun als Karte
Aller Gestirne und Zeiten das Schweigen, das reift:
Atmen hör ich euch mühsam bei Trommeln und Hörnern
In der gemeinsamen Luft, die kein Schuß mehr durchschnitt,
Samen des männlichen Weizens im Munde, auf Körnern
Grünlichen Pulverstaubs kauend, der morgenwärts glitt.

Hör noch im Laube lachen
– Verbrannt vom Salz der Laugen –
Soldaten, fern, mit flachen
Maschinengewehraugen.

1949

Wasserlandschaft

Der Karmin der heißen Mauer,
Die ins Wasser sinkt,
Hat die Luft mit seinem Feuer,
Zartem Licht geschminkt.

Unterm Pappelschatten zucke
Ich als schwarzer Fisch,
Atme den Geschmack von Küssen,
Engelwurzgemisch.

Stier der Hitze, Minotaurus
Mit dem Leierhorn,
Badet sich in blauen Furchen,
Wirft sein Haupt nach vorn.

Wie er's wütend in den leichten
Leib des Kalksteins bohrt,
Schling den Arm ich um die Kühle,
Die mich sanft umflort.

Ariadnes Faden greifen
Seh ich Theseus, blind,
Draußen hinterm Schilf, im hellen
Wasserlabyrinth.

Salzig knisterte die weiße
Wolle seines Haars.
Und die Brandung schrie. Wie Klagen
Von Oboen war's.

Über mir lebendges Silber,
Dichtes Blätterglühn.
Eselkarren schneidet einen
Kurzen Riß durchs Grün.

Widerschein der Vogelwolke
Glänzt wie feuchter Lack;
Und ich spreche mit des Windes
Leisem Dudelsack.

Spätherbst

Die letzte Wärme entwich schon
In einem Duft von Muskat,
Da ich das Dunkel für mich schon
Um jähe Vereinzelung bat,

Um Winke und Zeichen, die lasen
Sich früh als die Zeichen der Welt. –
Aus grünem Glase geblasen,
Löst sich die Gallfrucht und fällt.

Mit rot gepinselten Blüten
Schwebt lautlos der Wasserdost.
Ich kann ihn nicht behüten
Vorm schwärzenden Reife, vorm Frost.

In meine Hände vergraben,
Hör ich Wind, der die Pappeln schlägt
Und die laubige Nymphe haben
Will, die die Dämmrung erregt,

Die Nymphe mit Schnepfenaugen,
Wie Maulbeerkörner groß,
Die sich in den Nebel saugen,
In Nacht, stumm und früchtelos.

Winterliche Ode

Die Kälte, die die Sense schwingt
Durch Luft, voll von Gesicht,
Voll Schwäche, die mit Bildern winkt
Im fahlen Winterlicht,

Zerschneidet jäh das bärtige Fell
Des Wolfs in meiner Brust,
Erstickt sein heiseres Gebell
Zu Schreien alter Lust,

In denen stirbt, was an mir war:
Einsame Ungeduld,
Steinige Dämmerung im Haar
Und schwarze Bündel Schuld.

Des Eises Zunge leckt das Grau
Des Himmelsnetzes leer.
Den bittren Dolch des Winters schau
Ich – schöne Waffe – quer

Am Horizont der Stille. Groß.
Er ist nach mir gezielt,
Wenn Nacht – ein Standbild – sehnsuchtslos
Aus blinden Augen schielt.

Sein Stahl dringt mir durch Stirn und Hand.
Doch hinter seinem Tod,
Aus Asche und aus Widerstand,
Buk sich des Lebens Brot.

Die Überwindung der Schwermut

Zerbrochenes Wasser der Tage
Steht leblos im Schleierkraut
Und dringt mir wie bittere Sage
Noch einmal unter die Haut.

Die trostlose Biegung der Stunden
Im Wind, der mich zornig umfloß
Und einst mit Träumen geschunden:
Durchbohrt nun vom Mantelgeschoß!

Die blinzelnden Stallaternen
Der Schwermut im nächtlichen Stroh,
Das schweigende Zeitverlernen
In den falschen Himmel entfloh,

Den Himmel, der hinter der Stirne,
Im Umriß des Herzens geruht,
Umwunden vom Teufelszwirne,
Und starb in der Jacke voll Blut.

Die im Dickicht der Stille drohten,
Gestalten des Pervitin:
Nichts ist so tot wie die Toten,
Die schwarzer Neumond beschien!

Über die alten Gesichter,
Die flach sind und echolos,
Wandern des Künftigen Lichter
Wie sanfte Gewässer. Ihr Schoß,

Der leicht ist im Jenseits geborgen,
Erhellt wie Gebüsche der Luft,
Trägt schon unteilbaren Morgen,
Die Frühe aus Mohnrosenduft.

Heute

1

Unausdenkbar: ein Tag wie ein Leib, der aus Gras,
Aus duftendem Grase gehöhlt ist im heißen August,
Der mit leuchtender Anmut – ein Scherben aus rötlichem Glas –
Die Luft spannt und lockert, die sich zu rühren gewußt
Über der Welt der Minute, den sanften und langsamen Gesten
Eines Manns, einer Frau, die ihre Herzen erpreßten.

Heute! Du Antlitz des Glücks mir, das niemand verletzt!
Alles ist möglich und da und wird schon entführt.
Vögel und Sterne: sie werden aufs Haupt mir gesetzt,
Kampfergeruch der Insekten hab ich als Himmel gespürt.
Und ich leb in der Mitte der schönen Vernunft, bei Gefühlen,
Die in des Schweigens abstraktem Gestein die Stirne mir kühlen.

Dennoch! Ein Antlitz, das weicht und schon einem andern gehört,
Abbild des ewigen Schauspiels vom Kommen und Gehn,
Steten Veränderns, das mich wie Liebkosung betört,
Wie die Umarmung von Schatten, wie Augen, die sehn
Von Mauer zu Mauer mein Wanken, das Berühren von Dingen,
Die fremd und nicht ich sind und mich mit Kälte umringen.

An die Wand gelehnt einen Augenblick lang, an das Jetzt, wie ein
Fahrrad, die Leiter des Tünchers oder gebündeltes Stroh!
Ganz einfach ein Gegenstand ohne Zeit, ohne Angst, und allein
Mit der Lepra des Steins in der Mauer, ihrem Aussatz, und so
Auf das Vergessen zu hoffen, auf das Ertrinken im Heute
Der leblosen Fremde, den Fliegenschwärmen zur Beute!

Heute und Jetzt. Und der Aussatz, der überall frißt:
Zeit, die mir stirbt, meine Straße mit Speichel befleckt,
Speichel der Schwermut, du Zeit, die sich gnadenlos mißt
Mit einem Tag im August, einem duftenden Leib, der sich streckt,
Sanftem Sklaven der Vögel und leichter Geräusche
Seligen Windes von oben, an dem ich mich täusche.

II

Faßte ich in Geduld mich oder bin ich ermattet? . . .
Schläfrig und leise erregt doch unter der Dämmerung Ruß,
Ahn ich, was möglich ist, was mich erhellt und beschattet:
Reine Stimmen und Augäpfel, rascher Genuß
Eines zarten Gesichts, schöner Taube aus Hoffnung und Bangen,
Da schon der Himmel erdrosselt in Bäumen gehangen.

Hinter der Haut, die mich hält, und den pochenden Netzen,
Netzen beruhigten Bluts, die geworfen sind, liegt
Eisige Landschaft, ganz nah mir, beginnt das Entsetzen
Schon wie ein Kinoplakat, das sich im Zwielichtwind biegt,
Fahl, mit gegeißelten Farben, wenn langsam die Schwärze
Aus Kugellöchern gerinnt zu verlegenem Schmerze.

Landschaft der Fremde, in die nicht die Brücke der Blicke
Gütig gespannt ist, du ultima Thule, erstarrt:
Deinen Namen aus Schnee und Verzweiflung spür ich als Dolch
im Genicke,
Wenn die Waage der Zärtlichkeiten vergebens mich narrt,
Sanfte Schaukel des Glücks auf der Kirmes der Herzen,
Schwach und gefügig im Lichte von strömenden Kerzen.

Und ich gehe, ein Mann, ohne Demut und Stolz, gelassen
Quer durch die Wildnis des Schreckens in mir, die mich kennt,
Die *ich* kenne seit je, und suche die dunstigen, nassen
Sternbilder auf, die mir winken. – Ach, niemand mehr trennt
Von nun an mich von den leichten Gedanken der Toten,
Die sie mir lächelnd gleich bittren Gerichten entboten:

Schüsseln aus trocknendem Blut und mit Seufzern gewürzte
Zarte Gerichte, aus Flüstern gebacken und Wind,
Speisen durchsichtiger Wahrheit, in denen das Schweigen sich schürzte
Nach den Detonationen, die voller Erleuchtungen sind.
Und ich rede noch einmal mit Sindbad, mit Panzerschützen und alten,
Medusischen Wesen, die stumm ich in Armen gehalten.

III

Ein Arm und ein Bein, das behaart ist: gilt das schon ein Leben?
Oder die hängende Schulter, die Achsel, betaut
Von der Unschuld des Lichts: zählt das wirklich? – Daneben
Beginnt schon der Fohlenrücken des Hügels, umblaut
Von verfettetem Himmel, mit runzligen Dörfern am Rande,
Mit Sommerblättern und duftender Milchspur im Sande.

Dahinter das Loch in der Luft, die Leere, von niemand erfunden,
Der Zwischenfall, drin die Lehmwand zu Wasser sich löst,
Der die Zuversicht wie ein Papier verbrennt und geschunden
Die Speere der Geranien noch zeigt, vom Blühen entblößt
Unterm gefiederten Mond und im scharfen Metalle
Verwüsteten Mittags, der ausläuft zu farbloser Galle.

Die Metaphysik: eine Ampel im lauernden Abend,
Vierzig und sechzig Watt, eine Birne, die leicht sich zerschießt,
Wenn man getrunken hat. Muster nur noch und gleich labend
Wie ein Zwiebelgericht und der Sliwowitz, den man genießt: –
Brennende Statue einst und die Ernte von Strahlen
Über zerrissenen Händen, sich windend in Qualen.

Nun nur ein totes Gehöft noch, bespieener Garten
Ohne Feierlichkeit und gut für Verbannte und für
Erschießungskommandos, die ihre Opfer erwarten.
Schakale umstreichen die offene Abtrittstür,
Heulen und stoßen die Schnauzen ins flache Gewimmel
Horniger Vipern an einer Erde aus Schimmel.

Das alles ist gültig noch hinter geschlossenen Lidern
Und zählt wie die zarte Flora der Herzen, die alt
Ist und blüht als Wesen mit einem Zauber aus Gliedern:
Ein Wirbel der Dauer im Sterben verhängter Gestalt.
Wie ein Vorhang gepanzerter Luft umfließen mich Schatten,
Die mit zeitlicher Last mich gefoltert hatten.

IV

Schöner und knisternder Starkstrom der Herzen im heißen,
Elektrischen Abend oder im Morgen, der singt
Die blaue Ermüdung der Nacht in die Luft, in den weißen,
Senkrechten Tag, der die Haut bis zum Mund bräunt und dringt
Langsam als Fieber ins Fleisch uns. – Vergessen
Ist nun die zerstoßene Stirn und die Unordnung, die uns besessen.

Einem Gummi gleich, das sich dehnt, so bewegst du dich, Zeit, wirst
elastisch,
Während der Häher – ein Blitz – herabkommt vom Dach
Auf das krautige Pflaster des Hofes und oben phantastisch
Der Himmel ein eiliger Fisch ist aus Silber, der flach
Ins Unendliche schwimmt, in die Wonnen der Weite.
Und wir atmen den Tod fort, der unrecht hat, lauschen zur Seite

Dem dunklen Getöse von Händen und Füßen, der Menge
Erhellter Gesichter, von plötzlichem Glück überregnet.
Die Fabel wird Leben und Feuer des Heraklit im Gedränge
Frohlockender Stimmen. So sind wir einander begegnet!
Im Kohlenfeuer der Blicke, undeutlich und selig, erfinde
Das Jetzt ich: den Vogel, der eines ward mit dem Winde.

Die Entdeckung der Güte

Wir wollen die Güte erforschen ...
Apollinaire

Auf einer beliebigen Straße im feinen und duftenden Regen
Oder im farbigen Licht, das den Asphalt der Städte salbt,
Unter Menschen und steigenden Häusern zu Köln oder Frankfurt
im trägen
Sommer aus Ziegeln und Staub oder im Mond, der das Ulmenlaub
falbt,
Hinter der Luft, die neutral ist, die schläfrig und tönend
Gespräche wie Karten mischt, Nähe und Ferne versöhnend:

Hör ich wie Rascheln von wachsendem Weizen die Stimme,
Brennende Lunte des Glücks, lebendig und zart
Zwischen unbezähmbaren Steinen, den Laut, drin ich schwimme
Wie in alten Gewässern, mit flüssigem Lichte gepaart,
Den Mund, der mich lange schon meint, der aus melodischer Kehle
Umarmung und Hoffnungen singt, denen ich ganz mich befehle.

Keine Märchenoper, kein lyrisches Spiel am Gestade,
Betörend gebreitet auf Blätter und bläulichen Sand,
Lächelnder Orpheus, gerettet vorm Dolch der Mänade,
Sanftes Orakel, das jäh sich dem Abgrund entwand:
Keine Landschaft der Küsse und schluchzender, roter Gitarren,
Die mit dem Ebenmaß schmerzlichen Himmels mich narren.

Kein Abdruck der Lippen auf Wange und Stirn unter Flüstern –
Aber ein Blitz, der zwischen dir und mir Ähnlichkeit schafft,
Der meine Hand auf deiner Schulter ruhen läßt, behutsam beim
Knistern
Erregten Gesprächs, das die Worte wie Garben rafft,
Wenn um uns die Fläche der Stadt belebt von der Blüte
Zerbrochener Rosen wird und der Entdeckung der Güte.

Matrosen-Ballade

Salzige und blaue Wasser
Springen zwischen ihren Händen,
Sind voll Stimmen, die neptunisch
Schallen an den Brückenwänden,
Leicht zerstörbar wie Geschichten,
Die vom Jenseitswind berichten.

Ihre runden Schulterknochen
Stoßen in die große Luft,
Luft aus Teer und rotem Schilfe,
Das verblüht mit leichtem Duft.
Und mit langen Zähnen sitzen
Sie, die in der Dämmrung blitzen.

Traurig ist ihr Mund vom Tode
Und vom gelben Haifischgott,
Arme, Hüften in sich schlingend
Wie ein Tier des Herodot.
Schwarze Äpfel ihrer Augen
Schattenfluten in sich saugen.

Und die Schattenschiffe sinken
Lautlos über ihren Herzen,
Schlagen wie getroffne Fische,
Winden sich im Draht der Schmerzen.
Unterm dünnen Hemde spüren
Sie die Nacht ans Sterben rühren.

Der Täter

Der Morgen, die traurige Taube, schmilzt
Mir langsam im Aug und verdirbt
Mit blauem Gefieder. In Lüften aus Kork
Steht schwach meine Stimme und stirbt.

Die Worte zersprangen mir trocken im Hals,
Wie raschelndes Laub, ohne Ton.
Hinterm Schrei, der wie brüchige Münze klirrt,
Schwillt die Traube der Stille schon

Und wächst mir durch die erbitterte Hand,
Die das Holz des Messergriffs faßt,
Die unter die fremde Achsel greift,
Wie in Wasser, voll zorniger Hast.

Das Schweigen, das leicht nach dem Flintenschuß
Durch die Dornengebüsche bricht:
Die Auferstehung aus Rosen und Wind
Reicht jäh ans verfärbte Gesicht.

Männer

Was sind unsere Taten
als ein mit herber Angst durchaus vermischter Traum!
Andreas Gryphius

I

So gehen sie hin, Gelächter im Halse, und zeigen
Ihr schönes Gebiß und ein Zahnfleisch, gebadet und hell.
Mit springenden Muskeln, Gesäße wiegend, verschweigen
Sie leicht und vergeßlich das Tier mit dem Mitternachtsfell,
Die alte Hyäne, die dunkel durchs Blut kommt gestiegen
Mit gierigen Lefzen, die lautlos im Totenwind fliegen.

Mit offenen Blicken, die Augen gefährlich wie Kohlen
Geschwärzt oder sanft und wie Märzhimmel blau,
Gehn sie athletisch. Die neuen Maschinenpistolen
Leuchten im Licht dieser Zeit metallisch und grau,
Lässig geschultert und federnd beim ruhigen Gange
Unter der Sonne des Glücks vor des Mittagslichts Schlange.

Die Welt ohne Bilder, Geschwätz hinter leeren Kasernen,
Bewußtloses Atmen zur Nacht im erkämpften Versteck:
Sie geht für sie auf im Geknister der Straßenlaternen
Und mundet wie Mahlzeit: gebackenes Huhn, Wein und Dreck,
Von der man sich hebt, niemals satt doch, soviel man geschlungen,
Da schon die Wünsche wie Dolche ins Fleisch eingedrungen.

Hinter der lyrischen Landschaft der Jäger und Hirten
Lauert der Waffen Gestrüpp: ein Geblitze aus Chrom,
Kräfte des Gottes Vulkan, die sich im Phosphor entwirrten
Über der schutzlosen Welt, dem zerrissnen Kondom.
Aber sie tragen wie lauteres Wasser die stete
Ruhmesverheißung im Stammeln der Trug-Alphabete.

Zarte und flüchtige Vögel entfliehen die Tiefen;
Und nicht einer beweist ihnen Tod als ein bittres Getränk,
Pflugschar des Nichts zwischen Leben und Leben im schiefen
Lichte von drüben, das lastet am Schultergelenk.
Zuversicht tragen sie herb, wie Revolver entsichert,
Von den gespenstischen Freuden wie Schatten umkichert.

So gehen sie hin und werfen die dunklen und blonden
Haare zurück hinters Ohr in die Luft, wie sie steht
Schwarz hinter ihnen wie Luft nach den Rufen der Ronden,
Wenn auf der Hadesfahrt langsam der Todeskahn dreht:
Männer, nicht jung und nicht alt, Gesichter, die mitten
Im Lachen sich wandeln, zu tragischen Masken zerschnitten.

II

Wie Wasser durchsichtige Nacht! Ich höre Männer in Pelzen
Murmelnd ihr Geld mir im Rücken zählen und leis
Vom Tode sprechen, der kommt, wenn die Sternbilder schmelzen
In der Dämmerung morgens, die wie verschütteter Reis
Mir grau auf der Haut liegt. Ich höre in der von Salzen
Der Schwermut verwundeten Luft ihr trockenes Schnalzen.

Sie warten an Ecken, die Hände in Taschen vergraben.
Wenn jemand vorbeigeht, verhängen sie rasch ihr Gesicht
Mit den großen Mänteln. So lauern sie lautlos und haben
Das Wesen von Schatten, im Winde schwankend wie Licht,
Während die Armbanduhr-Zeit, stets verloren und wiedergefunden,
Für sie aufblüht nun: schwarze Rose der Stunden!

Stunden des jähen Entschlusses, mechanischer Waffen,
Die wie Wölfe bellen, Sekunde der plötzlichen Tat:
Ein Blitz wie die springende Mine, in der die Geister sich raffen
Zur Szene, zur Wirklichkeit, sehr genau, ohne Naht.
Und ich sehe sie langsam mit langen Schritten umwandern
Den Nullpunkt der Stille und sich anschaun, der eine den andern ...

Sie blicken sich hinter die Augen, die flach und vergessen
In Höhlen ruhen. Sie brennen Streichhölzer ab,
Um sich ganz zu erkennen, und kauen im Mund unterdessen
Wie Gummi Verwünschungen, während die Dunkelheit schlapp
Vor ihnen zurückweicht wie Watte. Sie zucken die Achseln und
drehen
Sich leicht auf den Hacken, mechanisch, zum Gehen.

Sie haben genug voneinander. Es lohnte die Nacht nicht, das Frieren
Unter der Schulter und nicht das Lauern im Wind.
Sie sehnen sich nach einem Lager mit Frauen, bei Bieren
Oder Pflaumenschnaps, der schwer auf der Zunge gerinnt,
Wenn ihr Leben – Baracke des Zufalls, immer neue Verdichtung
Von Stoff, Asche und Schmutz wird zur sanften Verrichtung.

1950

Ode 1950

Nicht mehr das traurige Stichwort: – Bequeme Parabel
Ist die Rede vom Nichts wie von herbstlichem Laub, das zersetzt
Sich zu brüchigem Rost. Die unbarmherzige Vokabel
Schreckt nicht mehr als der Fisch des Tobias zuletzt,
Wenn sie verbraucht ist im Munde, die als gespenstische Mode
Wie ein Feuer im Heu war und noch einmal Geist wird als Ode.

Aber was bleibt zu tun
Vor der trägen Gewalt
Des Daseins als auszuruhn,
Listig und mannigfalt:
Flüchten mit leichten Schuhn
In die Fabelgestalt
Oder auf äschernen Flüssen
Langsam treiben, von Küssen
Umarmenden Windes benommen,
Der aus der Höhe gekommen.

Formel der Früchte: wer nennt sie? Auf tönenden Tischen
Der Tage gebreitet, in silbernen Schalen der Nacht!
Sinnlich und nah und zu greifen. Ich suche mit Worten inzwischen
Die Flüchtigen aufzuhalten: mit einer Algebra, zart erdacht
Aus atmenden Silben, einem Bündel Gedanken, die baden
Im steigenden Halbmond wie das Geflecht der Plejaden.

Aber mit diesen
Namen aus Zauber
Ist nichts erwiesen:
Der gurrende Tauber,
Die süßen Geräusche
– Erhört wie bewußtlos –
Vergehen. Ich täusche
Sie vor als ein Sinn bloß
In Worten, in Zeichen,
Die keinen erreichen.

Also wieder ein Abgrund? – Kein Abgrund: Versuchung schon eher
Und ein zärtlicher Hinterhalt, dem man erliegt,
Poetische Falle, gestellt, wenn im Mittag der Mäher
Oder im Abend aus Schilf es melodisch sich biegt,
Das Bewußtsein, die Fähigkeit, zuversichtlich und heiter
Gewähren zu lassen, den Geist aus den Geistern zu ziehn
Und die Zeit zu erkennen, die vorbeijagt – phantastischer Reiter
Durchs Gewölk der Geschichte, in dem die Verhängnisse fliehn.
Ich lasse die summenden Drähte, das klingende Gitter
Der Worte zurück auf dem Grunde des Seins. Er ist leuchtend
und bitter.

Gedichte von der Liebe in unserer Zeit

Für L.

1

Alles ist meßbar und nichts ist zu messen. Die Zeit hier
Ist längst schon phantastisch. Ich weiß sie nicht zu beziehn
Auf einen Schmerz in der Seite oder die Nacht, die von weit her
Herankommt, chimärisch. Ich seh in der Ebene knien
Sie im Mantel aus Wind, ohne Formen, ein Torso, umstrichen
Von schlaflosen Vögeln, die sich mit dem Schweigen verglichen.

Ich höre Geräusche. Ein Stern rückt vor, oder ein Toter
Handelt mit Charon. Die Münze klirrt wie ein Schrei.
Das alles mag angehn. Und dennoch: ein gelber und roter
Pullover sind fern schon und weit an Alaska vorbei,
Den man gestern noch trug in der U-Bahn, im dichten
Gedränge, ganz zwanglos, ohne Angst vor den Jenseits-Gesichten.

Nebenan enden Tobolsk oder die Kalahari. Die Topographien
Sind neu zu entwerfen. Die Fremde reicht überall hin.
Im Nebenzimmer beginnt sie, auf der Uhr, wenn durchs Zifferblatt
fliehen
Die Gärten der Zahlen, Minuten, verändert an Sinn,
Von beliebiger Dauer, eben deutlich und deutbar, nun wieder
Wie Märchenvögel mit fließendem, goldnem Gefieder.

Aber das erste Erstaunen darüber ist lange vorbei. Wir gingen
An unsere Arbeit und gaben wie sonst uns die Hand,
Auch sie ja verändert! In unseren Augen fingen
Sich Landschaft und Menschen. Wir hatten noch einmal das Land,
Das es nicht gibt, auf der Netzhaut, aus Zärtlichkeiten errichtet
Und aus Vertrauen, das sich Vertrauen erdichtet.

Ohne Zweifel, wir liebten uns. Unwiederholbar
Ging uns der Atem vom Mund und stand auf der Wange der Nacht
Oder im Mittag aus Blättern, auf denen uns wohl war.
Wir hatten das Ende der Zeit, porös und aus Küssen gemacht,
Aus duftender Haut ein Immer und Jetzt, das man rollte
Zwischen den Fingern, sehr langsam, bis Schmerz kam,
Schmerz, den man wollte.

Jedesmal ohne Gedächtnis! Berührung und Nähe,
Nähe, Berührung allein, und Hauch, der vom Nimmermehr spricht
Gar nicht sentimental und zweideutig, so als geschähe
Etwas Selbstverständliches. So als wandre durchs Licht
Der Minze und magischen Rosen ein Schatten
Von Händen, die lautlos verloren sich hatten.

Wie ein Luftzug, wie plötzliche Kälte am Morgen,
Die einen frösteln macht, die unter die Decken kriecht,
Überfällt uns die Wahrheit, die Wirklichkeit. Ungeborgen
Bleibt die Liebkosung in der fühllosen Luft und besiegt
Von Chimären, dem Echo des Nichts hinterm Rausche . . .
Ich höre ein Weinen. Ich höre Lachen. Ich lausche . . .

II

Ich gebe dir einen Namen und du trägst ihn wie Rock oder Bluse,
geduldig,
Und lächelst mit ihm oder schläfst, wenn die ratlose Nacht
Wie ein Grammophon Süßigkeit gibt, vergänglich und schuldig
Das zarte Spiel Geben und Nehmen für uns hat erdacht,
Wenn der zum wievielten Male erfundene Abschiedswind zwischen
Uns aufsteht und flüstert, bis unsere Herzen verwischen.

Ich gebe dir einen Namen aus Ahnung und altem Verlangen
Und bin nicht glücklich dabei. Ich weiß es: er reicht nicht für lang.
Wie ein fremder Stoff, wie romantischer Mond, aufgegangen
Bei Achim von Arnim, leuchtete er vor mir auf und versank,
Nun nur ein falscher Paß noch, auf dem man bescheinigt,
Daß sich im Himmel aus Täuschung einst alles bereinigt

Oder im Abgrund und dort wo früher Hölle war, sauber errichtet
In einem Jenseits der Erde, als wenn nicht schon um die Ecke
Die Maschinenpistolen entsichert wären oder was sanfter vernichtet
Auf uns wartet: Gespräch oder Droge und die süßen Verstecke
Der Dichtung vom seligen Tode, vom Schwinden
In die Wollust des Nichts beim nächtlichen Duften der Linden.

Die Goldfischteiche der Literatur sind ausgelaufen. Unermeßlich
Anders begibt sich ein Leben in die Hut unterbrochenen Seins:
Verletzlich wie früher und ohne Dauer. – Vergeßlich
Gebettet in Liebe und Trost, in der Neige des Weins
Ein flüchtiges Bild, ganz aus Ohnmacht und Dunkel geschnitten,
Sind wir Menschen wie immer, von irdischem Wesen gelitten

Oder bedroht. Und der Name, für dich nur gefunden,
Ist verbraucht von der Zeit und schon tot, ohne Sinn,
Verbrannt wie Pompeji und von Gespenstern geschunden.
Ich schenke vergebens den meinen als Opfer der Dunkelheit hin.
Namenlos wie zwei Schatten wir, mit Augen, die glimmen
Wie Strohfeuer aus, und mit erlöschenden Stimmen!

III

Wer bist du, wer bin ich? Sehr wenig und nur eine Handvoll
In den Abend geatmeter Luft, die wie schmutziges Wasser schwankt,
Umgeben von Häusern und Menschen mit Augen, die randvoll
Von Traurigkeit oder Hinterlist sind. Wir haben uns nicht bedankt
Für die Wohltat der nutzlosen Geister, die im Fallen der Eicheln,
Im Duften des Quendels mit heiterem Finger uns streicheln.

Wir brauchen uns nicht zu bedanken. Wozu auch? Wir lächeln
verbindlich
Und hören die Stille. Sie ist aus zerschlagnem Zement,
Staubig und weiß und sehr unüberwindlich:
Ein Schweigen, das zuschlägt und das Jetzt vom Eben-noch trennt,
Ein Beil überm Haupte, das scharf und mit tödlicher Schneide
Gezielt ist auf uns, wie Weizen hinmäht uns beide.

Wir sehen uns noch, wenn wir träumend liegen. Im Wachen
Sind wir böse und undeutlich und kennen einander nicht
Oder reden uns ein, wir liebten uns, mit einem schwachen
Anflug von ratlosem Glück im Gesicht.
Und wir sehnen uns nach einer Vernunft, die uns einsam
Wie ein heimlicher Himmel geschenkt ist: morgen allen gemeinsam.

Leicht, wie der mahlende Stein das Öl der Oliven bereitet,
Bewegt sich die Zeit von uns fort, die uns einmal verwirrt,
Die uns ehmals zu Seufzern und Tränen verleitet
Und nur Attrappe noch ist, wie am Karmel der weidende Hirt
Oder ein anderes schönes Bild, schnell projizierbar
An die Wand des Bewußtseins, nicht ganz unverlierbar.

Übriggeblieben ist nichts als der geistige Kuß, die Erregung
Durch eine Welt der Verrichtungen, Welt, die mitteilbar ist
Und zugleich entrückt wie ein Traum liegt, wie die Bewegung
Von Schatten und Sinuskurven. – Du aber bist
Unwiderruflich anders geworden im Auf und Ab, eine kleine,
Sachliche Freude, zartes Sein ohne Alter, wie Steine . . .

Niemand wird helfen

Niemand wird helfen. Kein Lächeln, kein Neigen des Hauptes
Besteht vor dem Dunkel. Der nackte Text nur besteht,
Nachlesbar in der Stille: undeutliches Herz und ein verstaubtes
Winken von Händen, Gebärdenspiel, das vergeht,
Gesten der Armut wie hilflose Flugbahn von Tauben
Hinter der Landschaft aus Licht und den Zuckerzitzen der Trauben.

Niemand wird helfen. Ganz grün dort und rieselnd von Wasser
Seh ich dein Antlitz noch einmal, auf Blättern treibend im Wind,
Eh sich's für immer verliert, ohne Spur. Ich bleibe mit nasser
Wange zurück wie vor mir schon viele, die stille geworden sind,
Die ich nicht kenne, die mir gleichen am Grund der Zisterne
Unergründlichen Daseins ohne Hoffnung und wandernde Sterne.

Wie ein ruhiger Wein setzt sich das Schweigen, das übriggeblieben,
Und die Traurigkeit ist ohne Stachel, ist nicht mehr Skorpion.
Niemand wird helfen. Und was ich an dir lieben
Sollte, war goldnes Gewölk, erfunden und schon entflohn,
Wie ein Wasser, das lautlos bis an die Grube des Herzens gedrungen
Unter des Monds Kalebasse, die gelb durch den Himmel
geschwungen.

Huldigung an die Vernunft

Vielleicht ist es nichts als schlechte Gewohnheit: zu sehen
Auf jene Spiele des Zufalls aus pochenden Herzen und Nacht,
Wenn zwischen Schilf und Gestirnen die Uhren der Einsamkeit gehen
Und vollkommene Zeit wird als Maske des Todes erdacht,
Als ein Trug wie die Lippen des Windes, wenn leicht sie sich legen
Auf traurige Schultern, die sich im Schlafe bewegen.

Trug wie die Poesien, die aus Traum eine Mauer
Um die Schmerzen ziehn wie um die doppelte Frucht
Vor dem Spiegel im Zimmer und ungenauer
Sich im Dunste verliern als ein Wild auf der Flucht,
Die – eine Ernte erhabener Schreie – den Schrecken,
Der dunklen Leiber Gewichte, mit Wohllaut verdecken.

Nicht die Gebärde ist glaubhaft, der Wink, der aus Händen
Linien und Vögel entläßt und in zärtlichem Fleisch
Apoll und Dianen mit fließenden Fingern und Lenden
Lebendigen Silbers erfindet, indessen mit schwarzem Gekreisch
Die unsichern Engel, die flügelschlagenden, wichtig
Den großen Himmel durchstreifen: einst leuchtend, nun nichtig.

Über der Haut, die wie nächtlicher Apfel ist, über dem süßen,
Unkontrollierten Gefühl, leichtem Email, das erbebt,
Atmet die Kühle des Widerstands, ruhiges Grüßen
Einer sichern Vernunft, zarten Glückes, das hebt
Die Anmut der wirklichen Zeit, ohne tödliche Schauer
Im Nacken, empor in das Licht, in die leuchtende Dauer.

Schmuckloses Bildnis, entworfen ganz kindlich und spröde,
Ohne Erinnerung, doch mit genauem Gesicht,
Lächelnd und sachlich vor der beweglichen Öde
Dessen was war und verdarb wie ein Tellergericht:
Zeige dich, schmal und elastisch, ein Spiegel der Klarheit,
Aus Leben geschnitten wie ein Frohlocken, aus lauterer Wahrheit!

Die Laubgeister

... die Seligkeit des Laubs
in unseren Träumen.
Saint-John Perse

Roter Staub hängt in der Braue,
Der sich mit den Lüften mischte.
Gaumig flüstern Schatten rauhe
Laute, die der Wind verwischte.

Die ich mit der Hand verscheuche,
Laubige Gespenster, Wesen,
Jenseits atmend durch Gesträuche
Und als Schrift im Sand zu lesen:

Mit vergrößerter Pupille
Seh ich aus dem Kalk sie fahren,
Stöhnend in der grünen Stille,
Und mit alten Weidenhaaren,

Fadenlippen, ganz aus Tusche,
Schnell wie Traum vorüberfließen
Und die helle Blätterdusche
Als ein leichtes Bad genießen.

Hinter den gespreizten Fingern
Winken die gehauchten Wangen
Wie Gewölle im geringern
Licht, das wegwärts aufgegangen.

Wie ein Echo stehn die Stimmen
– Ferne Sensen – hinterm Hange,
Rollen zischend sich im schlimmen
Netz des Schweigens auf als Schlange.

An die Dolche ihrer Augen,
Die sich aus dem Nußholz bohren
Und mich durchs Gedörne saugen,
Fühle ich mich jäh verloren.

Mir zu Füßen, mir zu Häupten,
Wie die Geister von Makaken,
Masken, die sich grün betäubten,
Hör ich sie im Laube knacken.

Kirschenzeit

Mit Süße verdrängen
Läßt sich das Nichts.
Die Kirschen hängen
Sanften Gewichts.
Mund, der sie selig faßt,
Schmeckt leicht des Sommers Last.

Aber das Ohr vernimmt
Dunkleren Ton.
Zitterndes Windlicht, glimmt
Das Sterben schon,
Zeichnet des Daseins Schrift
Hin mir mit schwarzem Stift.

Lausche dem Gang der Welt,
Wenn samumheiß
Unreife Quitte fällt
Zu Boden leis.
Bin achtlos ausgesät,
Bis mich das Schweigen mäht.

Sommermorgen

Ein Laut aus Vogelschnäbeln,
Geknister und Geraun!
Zerschnitten wie von Säbeln,
Teilt sie sich sanft im Blaun,
Die Frucht der Luft, die lose,
Atmende Aprikose.

Im Morgen flieht die frische,
Vom Mond geweißte Wand,
Wie aufgescheuchte Fische
Mir gleiten durch die Hand,
Und leuchtet in der Ferne
Beim Blitz der Blattlaterne.

Im trockenen Geflimmer
Zerfällt sie und wird Duft.
Die Torsen schwarzer Schwimmer
Stehn spiegelnd in der Luft.
Hell fällt ein Arm, ein nasser,
Durchs grüne Glas der Wasser.

Und Schenkel, Schultern hüpfen
Delphinisch wolkenhin.
Laub und Gelächter schlüpfen
– Ein zarter Widersinn –
Ins Schweigen aus und haschen
Leicht nach des Traumes Maschen.

Windstille

Der aus bewegter Luft
Feuchtigkeit sog und Salz,
Mir an der Wange riß,
Schläfert nun als ein Duft,
Biegt sich am Schwanenhals
Lautlos und ungewiß:

Wind, der 's erhitzte Laub
Kühlte mit trocknem Mund,
Sinkt erdenwärts.
Blauer und schwarzer Staub,
Drehend im Brombeergrund,
Greift ihm ans Herz.

Flüsternd und wie erstickt
Bricht er ins Knie.
Ein Hänflingsschwarm,
Der rot das Grün bestickt
– Zärtliche Melodie –
Ruht ihm im Arm.

Antlitz aus Asche hüllt
Sprachlos sich ein.
Niemand erweckt es mehr.
Sommer, der sich erfüllt,
Schwebt hinterm Ziegelstein,
Dünstend nach Teer.

1951

Erde

I

Dunkle Erde, heitere Erde!

Voll von Blumen mit starkem Geruch und dem süßen Angstflug der
Liebe
Durch die windige Nacht.
Ohne Gedächtnis für den elastischen Menschen, der dich mit Füßen
tritt,
Du wächst an der Milch des Himmels wie eine phallische Pflanze,
Ohne Gedächtnis für Sterbende, die gleich lebendigen Münzen
Niemals wieder neu sich prägen.
Voller Gesundheit und Schmetterlinge, du, und voll Gegenden
traurigen Glanzes:

Dunkle Erde, heitere Erde!

Voller Nächte mit schwarzer Membran und einer Sintflut von Blättern
Im Herbst zu den Äquinoktien.
Wir schreien laut auf, als risse man uns den Nagel vom Finger,
Wenn du uns strafst mit den Messern des Frostes und unseren
Träumen,
Die im Lichte schimmern wie Fische im bitteren Teich.
Gut ruht es sich in deiner Eselkarrn Schatten. Blau färbt uns
Müdigkeit,

Erleichtert das Gepäck, mit dem wir reisen,
Um die Schwermut der Trommeln im Wald, um das Gefühl von
Gitarren, aus grünlichem Holze gemacht.

Dunkle Erde, heitere Erde!

Voll praktischer Wahrheiten du, die man nicht ungeschwächt meidet,
Auf Karten verzeichnet, indes deine Städte in Lüften
Begraben werden, wie Bündel Kerzen verbrennen,
Indessen Standbilder dauern mit gebrochenem Nasenbein
und den Torsen von Schenkeln,
Und ohne Laut Tiere sich paaren im flüssigen Mittag.
Du, voller Einsamkeit immer noch, die wie Honig gebaut wird
Inmitten des Aufruhrs von einer Stille, die atmet.
Im zarten Gelächter des Wassers erkennen wir dich, im von Feigen
durchsüßten
Gelände des Zufalls, in dem wir uns ruhn,
In der Karavelle von einst, die rasch hintern Horizont sinkt,
Hinters Gestade, von Regenbögen behangen.

Dunkle Erde, heitere Erde!

Mit Leopardenfellen geschmückt und den Wolken von Feuerfliegen,
Voll sanfter Gespenster, die mit verlangsamten Gesten dich grüßen,
Uns ähnlich, wenn wir mit Papierlaternen
Den Mond umwerben, der dir hörig ist,
Und unsre Augen – wie im Binsenkorb zwei Tauben – im Zwielicht
flattern.
Du, voller Vernunft, die dich trägt wie tausend Vögel den Wind,
Die dich wach hält, während wir schlafen und zeugen
Oder träumen, wir gälten dir etwas, das mehr ist
Als Kolibrilärm oder Regengeruch auf den Steinen.

II

Archaische Schönheit du hinterm Glyzinienvorhang,
Mit einem Antlitz aus Mörtel und den Goldkäferspuren im Sand.
Unverwittert dein Blick, der auf uns ruht, einen Augenblick lang
Gedankenlos aufleuchtend wie der rote Punkt einer Zigarette im
Dunkel,
Die von Lippe zu Lippe wandert,
Zufällig wie die Minuten-Umarmung zum Schlag einer Laute,
Dem schwachen Gezirpe des Glückes in unserem Rücken:

Erde der Liebenden!

Du Katarakt der Ungeduld! Wie zum Akkord verbundene Töne
wirst du unermüdlich
Die Oberflächen ändern
Des Frühjahrs und das Puzzlespiel der Sehnsucht,
Verrichtung des Gefühls, in einer Luft, die wirbelt.
Nicht geschaffen du für der Zärtlichkeit Trapezschwung,
Für die Welle Geruch, die von weit in der Dämmerung kommt
Oder in der Morgen Kälteblau, das nächtige Schatten tilgt.
Du bist wie eine Stadt, die auf Kanälen schlief,
Auf großen Ankern und den Segeln ihrer Schiffe:
Gleichmütig wie der Kurven Gleichmut, geometrisch,
Wenn den Orangenbaum der Blitz teilt, ein Flugzeug vergeblich
versucht
Dir zu entfliehen und aus Augen Verlangen wie eine verzauberte
Barke tritt:

Erde der Liebenden!

Geschaffen für neue Verhältnisse immer, indes nach Äneas sich Dido
verzehrt,
Indes dich Speichel bauender Insekten tränkt.
Veränderlich du wie der Gießbach der Schatten, der sommers
Die heißen Wände des Mittags entlang huscht!

Gefährlich bist du wie sarazenischer Mond, der von Dolchen
umkränzt ist.
Du unterbrichst die Liebkosung, den Augenblick, wenn sich die Frau
Frau fühlt im Arme des Manns. Unaufhörlich
Läßt du den Zweikampf der Herzen zu, duldest die Proportionen,
In denen Luft, Körper und Nacht zueinander stehn:
Diese atemberaubende Luft, diese zweideutgen Nächte,
Wie ein Hinterhalt überall, wenn sich Vögel in Feuer verwandeln,
Das unter Küssen knistert ...

Erde der Liebenden:

Unstet dann noch, wenn sich zwei Schatten decken!

III

Erde der Geister!

Leicht wie ein Bienengewitter in rötlichen Pappeln,
Mit einem Anflug von Ewigkeit im Wiehern des Goldenen Esels
von Apulejus,
Echo des Einst, du Zikadenlaut, drin sich Geschichte,
Rom und Byzanz, das Morgenland wie ein Gemurmel
Zart wiederholen, du Rufen gestorbenen Winds zwischen Steinen:
Bewältigt ward nie das Geheimnis, was eigentlich war unter
Menschen ...
Die Himbeerstimmen, die Todesstimmen, auf Blättern wie
Nymphenzank ausgetragen,
Wie Häuser, Vögel und Engel, aus dünnem Papiere geschnitten,
Umflüstern dich: unwirklich und phantastisch.
Du lauschst, indes die Zeit die grauen Ziegel reitet,
Der Sperling Catulls im Sande sein Bad nimmt
Zwischen Gestern und Gestern und Nacht wird mit Sternen,
Die glimmen wie Kerzenenden.

Du langsam Gealterte, während das Kupfer der Schlingen, die du gelegt hast,
Immer noch kalt in den Nacken uns trifft,
Während der Geist im Gewehrfeuer starb, im Lichte der Böschung,
Oder still überlebte: wie Zelle der Alge,
Eine träumende Taube, von Beatrice gehegt eben noch,
Im Schnabel das Korn noch, das Dante ihr gab; und schon klagend im Holze,
Bis der Druck eines Fingers am Hals sie von der Klage erlöst.

Erde der Geister!

Rosenwildnisse erst, später Asphalt zogst überm Staube Pascals du,
Oder vergaßest ihn gleich und ertränktest im Fluß dein Gedächtnis;
Du aber lebtest wie sonst: – Zwischen Gestern und Gestern sammelst du Vorrat an Leben.
Christoph Columbus und Magalhães treiben noch immer auf lautlosen Schiffen vorüber,
Gefährten der Rauchsäulen am Horizont, der wie Öl glitt.
Und der Honig Vergils blieb erhalten, der als Tau aus der Luft sank,
Während im Hirtenmantel du wachtest, die Okarina am Mund:

Erde der Geister!

Sommermittag

Pavane des Staubs überm Wege,
Der in zimtenem Rot zerbricht!
Die Zungen des Lattichs: träge
Besprechen sie mein Gesicht,

Das horcht auf die Trommel der Hitze
Und ruht in des Mittags Substanz.
Die mit dem Finger ich ritze,
Luft, zuckt wie Echsenschwanz.

Die grüne Rute des Windes,
Aus Nußlaub und Stille gemacht,
Schlägt zu: ein kurzes, gelindes
Streicheln, wie Atem der Nacht,

Wie Ahnung von plötzlicher Kühle,
Die aus Birnendickichten bricht,
Wenn in der Blätterschwüle
Vergeht wie der Wind mein Gesicht.

Koreanische Elegie

Aus blauer Kreide ihr Häuser an Flüssen! Ich sehe
Euch langsam versinken in Luft wie schöne Schiffe im Meer.
Es gab euch noch eben im knietiefen Schweigen. Die Nähe
Tat gut wie Arznei, wie des Mittages Achselduft, schwer
Von botanischem Aufruhr und des Augusts Silikaten,
Wenn ich die Erde noch einmal im Springen der Zander erraten.

Hypothetische Heimat: bedenklich aus Nachtigallen
Und dem gelblichen Flügel des Heimchens im Winde gemacht,
Mit einem Himmel, gespannt wie ein Daumenballen,
Und dem Krebsgeäder im Gewebe der Nacht:
Wie Odysseus ein Schatten, Geplapper von Leierkästen
Im Regen Koreas, an dem die Toten sich mästen.

Eine gerade Linie ging einst durch alle Gesichter.
Nun krümmt sie sich kohlefarben in unsern traumlosen Schlaf,
In den Schlaf dieser Welt, in den Regen Koreas, wenn dichter
Das Dunkel von Schüssen auf den Umriß der Herzen traf,
Auf den scharfen Geruch von Substanz, die Mandel des Auges, die
baren
Blicke der Angst beim Verlust pharmazeutischer Waren.

Mit einer leiseren Stimme – für die, die im Lehm und auf Wiesen
Zwischen Mädchen und Mauleseln liegen, die toten Soldaten,
bestimmt –
Klag ich winzig wie brennendes Laub klagt im Feuer um diesen
Breitengrad, diese riesige Lunte, die glimmt,
Wenn in der Hand ich der Nachtwachen äscherne Früchte
Namenlos halte ins Schweigen, vor dem ich mich flüchte.

Ihr zuckt mit den Lidern noch einmal, indessen sich räkeln
Auf ihren Hüften die Frauen, die einst euch betört.
Hypothetische Heimat! Eure Koppelschlösser umhäkeln
Die Tropen mit bronzenem Grün, das der Hitze gehört
Oder dem Regen Koreas. Er wird euch nicht schonen,
Und nur Erde wird noch eure Namen bewohnen

Oder wir, wenn wir mutlos uns schlafen legen
Mit einer Handvoll von Dingen, die uns noch verblieb,
Argumenten der Nacht. Wir sehn sich bewegen
Eure Lippen vom Wolfsmilchgeschmack, der euch trieb,
Den bittren Geschmack eures Lebens, unendlich verkleinert
Von unserm traumlosen Schlaf, in dem er versteinert.

Gedicht für den Frieden

Der Krieg geht weiter. Das zarte Zündholz erlischt schon
In Deinen Augen, das Glück. Die Umarmung wird kürzer und enger
Und unser Atem – der zwiefache Nachtlaut – verwischt schon
Wie ein Rumfleck am Boden. Auf deiner Wange steht länger
Endgültiger Abschied wie trostloser Mond auf Kanälen,
Darunter der Frühe mißfarbene Schatten sich quälen.

Immer wieder dies Achselzucken, dies Harren und Lauschen
Auf den Wind, der die Tränen nimmt, sich über Schläfern erhebt,
Wind der Liebkosung und Wind, du, der Trennung, drin bauschen
Sich Stimmen wie Kleider, eh sie das Schweigen begräbt.
Ohne Ende Lebwohl, Leuchtfeuer noch einmal, dann Schwärze,
Undeutliches Blitzen von Waffen bei zuckender Kerze.

Gespräch mit den Messern! Die Nahkampf-Szene spielt schlecht sich
Auf Straßen zu Ende mit Schreien und Sterbegeruch.
Es legt der Tod einem jeden anders zurecht sich:
Beim beizenden Brennen des Sommers im Stechmückenflug,
Im Heuschreckenlichte Ägyptens, erstickt in Kombüsen
Oder zerrissen von Luft unterm Singen von Düsen.

Der Krieg geht weiter. Ich habe noch deine Augen
Einen Augenblick auf der Netzhaut, eh sie im Jenseits zerbricht:
Leichte Bilder des Eben-Noch, die nicht mehr taugen
Vor der Last des Umsonst und unter dem jähen Gewicht
Unvorbereiteten Sterbens, dem gespenstischen Schrecken
Unerklärlichen Himmels, seinem Vom-Tode-Erwecken.

Der Schatten des Engels erhob sich wie Fremde
Und versank – ein Reflex, der rasch sich zerlegt.
Der Krieg geht weiter. – Ich spür ihn wie unter dem Hemde
Das trockene Brusthaar, das sich beim Atmen bewegt
In der Stille des Traums, des Traums von den glücklichen Jahren
Mit dem Duft roten Grases, dem Rascheln von Frauenhaaren.

Und ich verbringe mit ihm diese Nacht, die wirksam mit Dolchen
Ist und die Circe im Blut mir durchbohrt:
Den Genuß und was läßlich ist. Winke den Strolchen,
Den trägen Gespenstern, mit Augenhöhlen, umflort
Schon von Ewigkeit, gebe ihnen das Zeichen,
Sich auf mich zu stürzen. Aber sie zögern. Sie weichen.

Sie lassen mir Zeit. Ich erhebe noch einmal die Stimme.
Ein kleines Flüstern wird es. Ein knisternder Laut
Entringt sich dem Dunkel, daß winzig im Haifischmaul glimme
Die Hoffnung, der Friede, das schutzlose, unnütze Kraut,
Die zierliche Freude, aus hellen Gesichtern errichtet,
Gewebe der Schönheit, das sich zu Leben verdichtet!

Liebesgedichte

I

Ich kann dich im Dunkel sehn

Ich kann dich im Dunkel sehn,
In der Nacht, die die dicken, grünen Nüsse schwärzt,
In einer Landschaft, die wie ohne Haut ist,
Mit einem Duft von Blättern und Fischen.

Ich kann dich im Dunkel sehn.
Deine Augen – zwei dunkle Beeren in bläulicher Milch –
Leuchten im Zündholzlicht.
Die Mondmünze im Ulmenschatten
Blitzt nicht sanfter.
Sie ist alt und abgegriffen, brüchig von Luft,
Und macht melancholisch wie die Zauberei der Sanduhr.

Ich kann dich im Dunkel sehn
Und buchstabiere das Schweigen
Und den scharfen Geruch des Farns in der windlosen Kälte,
Buchstabiere deinen Mund und die Nacht, die sachlich im
Morgenrot wird,
Das wie ein Stückchen Speiseeis zerschmilzt.

Ich kann dich im Dunkel sehn.

II

Du gingst fort . . .

Und ich liebe des Zimmers Wände,
Die ich bemale mit deinem Knabenantlitz.
Else Lasker-Schüler

Du gingst fort. Du wirst fortgehen immer,
Wenn der Tag graue Tauben ans Herz nimmt
Und die Dämmerung ihr Tuch über uns wirft.

Die Nacht kommt mit gefärbten Haaren und dem Geruch
von Mandelkern.
Mond steht in den von Minze parfümierten Stoppeln
Und früher Tau fällt auf Flüsse, in denen die Aale wachsen.

Du gingst fort. Schwarz wurde das Blau in den Flöten des Enzian.
Zurück blieben das Zimmer und das Grün einer Cordjacke
überm wollenen Rock,
Abwesende Blicke, die wie neugierige Mücken waren.

Die Wände: tapeziert mit Unruhe und der Bronze eines Nackens!
Du gingst fort. Und ich liebe des Zimmers Wände,
Die ich bemale mit deinem Knabenantlitz . . .

III

Auf der linken oder rechten Seite liegen gilt gleich,
Eine Melone zerschneiden oder das Wasser im Glas
Leuchten lassen. Die Anmut der Kerze
Dahinter: belanglos wie schwebende Luft
In der Nacht ohne dich.

Als Nachmittag war, ließ vor dem Fenster der Pfau sich
Wie ein schattiger Blumenstrauß nieder.
Du hieltest in der Sechs-Uhr-Sonne deinen Löffel
Über einen Teller durchscheinender Himbeeren.
Nun dulde das Dunkel ich,
Diese Nacht, die du nicht gemacht hast,
Mit zäher, schwarzer Tusche ausgezogen,
Mit dem Geschmack von Tränen im Mund
Und scharfem Wind in den Blumen.

Hinter dem von Schwärze rissigen Ziegel
Wird die Zikade still, und ich habe
Das Aroma der Einsamkeit zu schmecken bekommen am Tisch
Zwischen Schweigen und Schweigen
In der Nacht ohne dich.

Auf der linken oder rechten Seite liegen gilt gleich
In der Umarmung der Stille, wenn die Armbanduhr leicht
Die Zeit zählt, das Mundstück der Zigarette verascht ...
Mit dem Finger durchstreich ich das Jenseits,
In dem ich noch eben gelebt,
Ohne rotes Halstuch und braune Schuhe
In der Nacht ohne dich:

Ich hör unter Sternen dich atmen!

IV

Ich habe für dich Tag und Nacht versammelt auf der Tapete,
Eine Landschaft mit Straßen wie auf alten Bildern.
Der Himmel rieselt darin zwischen zwei Erlen
Und rotes Getreide duftet.

In den Straßen der Stadt habe ich die Stille vernommen,
Lautlosigkeit, für dich erdacht,
In der die Farne in Gehölzen rauschen und Maiskörner platzen,
Der Stein der Stunden in alte Gewässer sinkt.

Ich habe für dich die Zeit verbannt,
Die Sibylle, mit Brennessellasten im Arm,
Das dunkle Antlitz hinter Inselpappeln:
Vergangen ist sie wie eine Märchenoper,
Wie Schatten eines Flugs auf einer Mauer.

Ich habe für dich Gegenwart erschaffen
Wie genauen Weingeist, der überm Abgrund der Minuten schwebt:
Gegenwart der in der Luft badenden Haut,
Gegenwart des Nackens von der Farbe einer Haselnuß,
Gegenwart der einfachen Linien des Körpers.

Und Tag und Nacht atmen auf der Tapete ...

1952

Worte

Einfalt erfundener Worte,
Die man hinter Türen spricht,
Aus Fenstern und gegen die Mauern,
Gekalkt mit geduldigem Licht.

Wirklichkeit von Vokabeln,
Von zwei Silben oder von drein:
Aus den Rätseln des Himmels geschnitten,
Aus einer Ader im Stein.

Entzifferung fremder Gesichter
Mit Blitzen unter der Haut,
Mit Bärten, in denen der Wind steht,
Durch einen geflüsterten Laut.

Aber die Namen bleiben
Im Ohre nur ein Gesumm
Wie von Zikaden und Bienen,
Kehren ins Schweigen um.

Vokale – geringe Insekten,
Unsichtbar über die Luft,
Fallen als Asche nieder,
Bleiben als Quittenduft.

Gedicht für J. S.

Auf dem Dezember-Bahnsteig in der ersten Stunde nach Mitternacht
Dein Bild in die Kälte geschnitten,
Mit hellem Mantel, den Schal übers Haar getan,
Und einem im Abschied leuchtenden Gesicht!

Ich erfinde dich noch einmal im Augenblick der Trennung,
Dunkel vor Zärtlichkeit und dem Verlangen nach Glück,
Mit einer von Zuneigung leisen Stimme
In der winterlichen Frostluft.

Ich erfinde dich noch einmal: geschaffen nun,
Um mit mir zu gehen, einem anderen:
Mann im hochgeschlagenen Mantelkragen,
Der das Fenster im Fernzug-Abteil herunterläßt und winkt.

Du bleibst zurück, auf Fluten grauen Windes treibend,
Zurück mit Umarmung und Kuß und dem Geruch deiner Haut.
Das schwarze und weiße Schachbrett der Schneenacht
Liegt über deinem Gesicht; und ich weiß,
Daß nichts an dir für mich bestimmt ist.

Liebesgedichte

I

Betrügerin der Zeit! Betrügerin des Mittags,
Den ich aus feuchten Dickichten mir fische: –
Wolke aus leisen Worten, leichten Silben . . .

Das Licht schmilzt hinter deiner Schulterhöhlung,
Und aus den blauen Balsamblumen zuckt der Vogelschatten
der Ewigkeit.
Ich folge ihm mit meinen Augen, bis er vergeht
Im Abgrund deiner Nähe,
Folge den hellen Linien der Häuser
Hinterm Horizont der Stille,
Indes dem kleinen Dunkel der gekrümmten Hand
Der Kolibri der Freude mir entschlüpft
Und zwitschernd badet tief im Wasserblau der Luft.

II

Du trägst einen Rock, grau wie die Augen der Dämmerung.
Er gibt deine Waden frei, den Schatten der Kniekehlen.
In deinen Augen ist Rauch und Kühle.

(Ein Mottenflügel klebt an der Wand.
Er wird gleich zu Staub zerfallen wie ein Antlitz aus Luft.)

Du trägst eine zitronengelbe Bluse,
Die du sehr langsam aufknöpfst;
Sie gibt über dem Ansatz der Brust die Haut frei,
Die glatt wie Milch ist von der Berührung des seidenen Tuchs.

Du trägst unter Bluse und Rock,
Unter dem Wurf deines Kleids,
Unter der roten Wolle deines Pullovers

Den empfindlichen Stoff deines Körpers.
Er bleibt unbegreiflich
Wie Stimmen hinter Nachtblättern.

Mit Träumen wird er unter einer Decke liegen
Und den Geruch der Gewitter kennen
Und einst dem toten und blauen Schnee gleichen,
Der sich sommers in Bergschluchten hält.

(Ein Mottenflügel klebt an der Wand.
Er wird gleich zu Staub zerfallen wie ein Antlitz aus Luft.)

Bleibe noch. Bleib, bis die Zeit dich zum letzten Male umarmt
Und du mit den blauen Schneeschatten schläfst. Für immer.

III

Aber es könnte auch sein, daß *ich* fortginge: –
Ein Mann
Ohne Wiederkehr, ohne die unsichere Freude des Wiedersehens,
Des Erkennens in Vorläufigkeit und Melancholie.
Es wäre möglich, ich bliebe fort.
Die Luft schlösse sich hinter mir
Wie verzweifeltes Gebüsch
Mit einem Duft Erdbeere und Jasmin.

Und du wartetest zum letzten Male, indessen
Das Wasser welkte im Krug und das Brot unberührt
Und der Fisch und ungetrunken der Nordhäuser
Glitten vom Tisch in die Nacht,
In die Schwärze hinter der blauen Münze Hoffnung,
Hinter der grauen Münze Verdacht.

Es könnte sein,
Ich wäre verloren an eintönige Flut
Wie an Ewigkeit, den traurigen Mousselin.
Es könnte sein, es litte mich nur noch in der Umgebung

Von Worten, die langsam wie Rosen im Dunkel aufgingen
Unter seraphischem Duft.
Es könnte sein, ich vergäße
Dein Gesicht und was an dir Frau ist
Und du erschienest
Mir deutlicher nun in einer Bewegung aus Licht,
Einem sehr durchsichtigen Kristall: Jenseits,
Ohne Heimweh nach dem, was war,
Ohne Heimweh nach dem lautlosen Taubenflug Zeit.
Es könnte sein ...

IV

Ich habe dich an die arglose Luft verloren,
In die das Strohfeuer am Ziegelteich Gesichter glüht.
Vergebens suche ich deine Spur im Lehm.
Er zerbröckelt in der Hitze zur kupfernen Schlange.
Ich finde dich nicht im Abgrund,
Der hinter dem Mark der Pflanzen winkt.
Unsichtbar wurdest du im feurigen Schutt des Mittags.
Nur die Windhände raufen in ihm.
Du tratest hinter die Blätterwand.
Du vergingst im Spiel der Okarina am Morgen.
Du ergrautest vom Staub der großen Worte: Ewigkeit,
Schönheit, Liebe,
Und bleibst verloren an Zauber,
An klagloses Nichts ...

V

Du bist im Spiegel wie kandisfarbene Frühe.
Der Delphin des Morgens badet in seinem Glas,
Wenn du in ihm erscheinst.
Du kommst aus dem Märchenland der Nacht,
Ohne Kleidung aus Wolle und Leinen

Und nur mit dir angetan:
Dem Paar deiner Schultern, die im Lichte fließen,
Deinem Lächeln, dem Blitz deiner Zähne,
Deinen Wimpern, die wie ihr eigener Schatten sind.

Heiter bist du im Spiegel und sehr leicht:
Eine Feder, die ein Vogel verlor.
Du stehst in deinem Haar wie in einem schwarzen Wasserfall:
Bald nur noch ein undeutliches Bild im Glas,
Wie Süße vor dem Essig des Daseins, dem schlechten Öldruck,
Der immer die gleiche Frau zeigt:
Entblößt, die Zigarette im Mund . . .

VI

Schwarzer Stein im Herzen der Kirsche,
Schwarzer Stein im Herzen des Mannes:
So schwebst du unsichtbar über der Luft,
Die Windrose im Haar,
Schwebst überm Zucker dieser Tage, dem Licht,
Über der Wärme, die die Achseln trocknet
Und den Schlaf unruhig macht.

Dein Atem stockt noch grün im Arm der Ulmenbäume.
Deine Stimme steht still zwischen zwei Silben.
Sie löst sich auf zwischen zwei dunklen Vokalen,
Buchstaben des Schweigens.

Braune Haut des Oberarms: aufgerollt vom Flüstern der
Mittagsstunde.
Weiße Haut der Hüfte: aufgerollt vom Flüstern des Sommers.

Du bist hinter der Zeit, die in den Venen abläuft:
Schwarzer Stein im Herzen der Kirsche,
Schwarzer Stein im Herzen des Mannes,
Meinem Herzen.

Du bist hinter dem Öl des gezuckerten Branntweins auf meinem Tisch,
Das ich anzünde.
Es leuchtet mir vor der Ungeduld der Nacht,
Die den Geruch einer Frau hat, die zur Frau gemacht wurde.
Du bist hinter dem Schritt, der Leben und Leben trennt.
Wo bist du? . . .

VII

Geschminkt mit dem Kalk der Schlaflosigkeit,
Weiß geschminkt mit dem Tod der Zeit, die
Zu dieser Stunde stirbt.
Geschminkt mit Mörtel, der überm Gesicht zerbricht,
Geschminkt mit Nachtwachen,
Das Geräusch von Umarmungen im Ohr,
Von Pfiffen an der Straßenecke,
Von Minuten, die die Tritte von Katzen heißer Länder haben
Zwischen drei und vier Uhr morgens.

Ich sehe dich nicht mehr.
Es gibt dich nicht mehr.
Du bist unter die wilden Katzen gefallen,
Die deine Schläfen zerkratzen, deine Brust, deine Hände,
Die tödlichen Minuten dieser Nacht.

Durchs Fenster kommt Besuch:
Sommer mit jungen Grillen und schwarzen Rufen
Aus dem verdunstenden Wasser.
Ich kehre mich zur Wand
Mit dem Schattenspiel obszöner Bilder, pythagoräischer Zeichen,
Spuren deiner Abwesenheit.

Und der Tod der Zeit tritt an mein Lager,
Und ich höre, wie er die letzte Minute begräbt
Im Abgrund einer Ewigkeit,
Der du nicht angehörst.

VIII

Geh vorüber, auf Lichtbildpapier abgezogenes Antlitz
der Dämmerung,
In der ich mich verirre!
Geh vorüber, Erscheinung des Zwielichts,
In dem der Mann nicht mehr Mann,
Die Frau nicht Frau ist!

In der blauen Luzerne geliebter Augen versank der Tag,
Die vollständige Welt des Tags
Mit Häuserflächen, Asphalt und Kreppschuhspuren darauf,
Mit Wildfährten im Thymianfeld.

Die Nacht hat ihre Ordnung.
Aber die Dämmerung ist geschaffen,
Sich in ihr zu verirren.
Die Dämmerung ist das Stichwort,
Das der Argwohn gibt.
In ihr hält der Verrat den Verrat im Arm.

Die Kälte nimmt zu über deinem Herzen
– Ich spür es – in der Dämmerung.
Unwegsamer als der wilde Karmel wird dein Herz
Im Todeskampf des Lichtes.

Geh vorüber!
Geh vorüber, Regen der Verlassenheit,
In dem nichts mehr vollziehbar ist.
Schwacher Wind der vollkommenen Dunkelheit:
Mache dich auf und schaffe
Aus einer Handvoll Schilf und Papierlaternen
Die Zuversicht.
Schaffe ein zartes Gesicht aus Schatten,
Das ich neben mich betten kann, wenn ich schlafen will.

Die letzte Nacht

Die Nacht wird schwarz und weiß sein ...
Gérard de Nerval

Warte nicht! Die Nacht wird schwarz und weiß sein,
Schwärzer als Kork, übers Feuer gehalten, um die Brauen mit ihm
nachzuziehen,
Weißer als der Tod Virginiens auf Isle de France,
Von Engeln der Tropen umflogen.

Schwarz und weiß die Nacht, voll stolpernder Schritte unter
Laternen,
Voll Lippen aus Ruß in Hausfluren,
Voll Lippen aus Schnee, sehr zart von der Luft wiederholt, die auf
ihnen schmilzt,
Voll fremder, vergeblicher Worte.

Warte nicht! Die Nacht ist wie Schulkreide, in die man als Kind biß,
Die Nacht ist wie Kerzendocht und schwankt beim ersten Flüstern:
Schwarz und weiß.
Und dahinter dein Gesicht, ans Glas einer Scheibe gepreßt,
Im kleinen Regen der Tränen,
Wie das Bild einer Frau, die dem Mann ihre Brüste zeigt,
Der sie verlassen will.

Warte nicht! Die Nacht wird vollkommen sein, mit in den Wind
hängenden Haaren,
Mit dem hygienischen Weiß der Verzweiflung,
Mit der Pechfarbe absoluter Stille:
Schwarz und weiß ...
Und ich in ihr: ein leichtes Bündel, ohne Gedanken, ohne
Erinnerung,
Wie Reisig, auf das einzelne Sterne scheinen.
Die letzte Nacht, in der niemand wartet!

Elegien auf den Tod eines jungen Dichters

Für A. X. G.
gestorben am 14. 9. 1952 zu Arles, Provence

I

Hinter dem an den Leib gezogenen Knie der Frau, die auf den Mann
wartet,
Die Luft – aufrecht vor der gemusterten Gardine,
Aufrecht vor der Tapeten-Limonade,
Die langsam in vier Ecken ausläuft;
Hinter dem Hotelzimmer mit Zentralheizungsgeruch
Und der kleinen Wolle rasierten Achselhaars,
Mit dem Blick auf Fichtenhang und zerstoßenen Schiefer;
Hinter dem raschen Atem zweier Menschen in der Umarmung,
Den Fünf-Minuten-Geräuschen der Wollust vor einem Spiegel,
der zusieht,
Teilnahmslos wie abgelegte Wäsche:

Hinter dem allem –

Hinter dem elastischen Gummi Zeit, dem hilflosen Augenblick
Leben,
Der Winzigkeit Oktobernachmittag mit lodenfarbenem Regen
Und schütterer Schneespur unter Wolken,
Mit Nebel, der an die Kehle greift, die Rachenmandeln entzündet
Und die Gedanken der Toten zarter macht;
Hinter der schwebenden Arrakflasche
Und der für das Jenseits bestimmten Münze, die auf der Tischkante
blitzt:

Hinter dem allem –

Hinter dem mühsamen oder beiläufigen Heute,
Das in den Mantel hilft und die Suppe zurechtrückt,
Gegen Wind und Schlaflosigkeit schützt: –

Hinter dem und allem dein hektischer Schatten,
Die zweideutige Beweglichkeit eines Gespenstes, das sich zu
    erkennen geben möchte.

Hinter dem und allem dein Mund,
Der sinnlos Silben bildet, kleine Rufe, Laute von drüben,
Laute aus einem Land voll heiterer, eßbarer Gerichte,
Bekömmlich für Seeanemonen und Medusen ...

Du Erscheinung am Schieferhang,
Ohne die Grimasse des plötzlichen, selbstgegebenen Todes,
Mit dünnen Lippen der Ewigkeit,
Mit Lippen, aus neuer Vernunft geschaffen,
Mit Augenwinkeln, in denen das Schweigen abstrakt wurde
Vor einer Landschaft mit fliegenden Fischen und hastig geschriebenen
    Gedichten.

Mit neunundzwanzig Jahren bist du gegangen,
Um wiederzukommen als Flüstern über einer Preiselbeerböschung
    im Spätjahr
– Dunkles, vom Abend verschlungenes Lispeln der Alterslosigkeit –,
Als Raunen zwischen zwei heißen Duschen, die man im überheizten
    Bad nimmt.

Dein Gesicht – halbiert vom Umsonst – leuchtet.
Es ist der Nässefleck an der gekalkten Wand,
Die flüssig wird im trägen Deckenlicht.

Dein Gesicht hinter dem dunklen Horn der Brille,
Tausend Jahre alt geworden vor Anstrengung
Und durch die Nacht gleitend, in der Schultern, Lenden, Muskeln
    vergehen:
Nacht mit dem Schneefall der Asche aus Haupthaar und Schamhaar,
Nacht mit dem Frieren der Überlebenden, eh sie die Decken
    ans Kinn ziehen,
Mit kalten Thermen und fernen Gewehrsalven,
Nacht, Nacht, Nacht ...

Deine Handschrift, aufgelöst in Papierschlangen, zu Spruchbändern
»Man lebt nur einmal«, im schönen, melancholischen Wind flatternd,
Über deine Stirn geklebt,
Über deine vom Sterben vergiftete Stirn.

– – Die Welt nach deinem Tod hält dir keinen tröstlichen Lampion
unter die Augen.
Sie weiß nichts mehr von dir in ihren Zweibett-Zimmern,
Beim Branntwein, der das Zahnfleisch beizt, und den man
Im Kreislauf fühlt, eh Liebe kommt und geht.
Sie weiß nichts mehr von dir. Darum erscheinst du
Umsonst. Du bist ganz tot.
Es ist der Kehrreim auf uns alle einst: ganz tot . . .

Aber vielleicht
Bleibt die Bewegung von Licht und Schatten, die du machtest,
Der Aufwand, das Verzagen, die Verzweiflung,
Kurze und heftige Freude, stärker duftend
Als Nektarinen und als Birnenfleisch.
Aufschwung, süß wie Aroma und schwächender als der Geschmack
Vom Inneren der Frucht, die plötzlich aufplatzt.
Vielleicht der harte Reim auf Schuld und Unschuld, der noch einen
Augenblick

In der zerstörten Luft steht:
Leerlauf schon im nächsten,
Ein kleiner Krebs nur im Gewebe Einsamkeit,
Kurze Unterbrechung – Glück – zwischen Quälerei und Langeweile.

Vielleicht bleibt weniger als das und dennoch etwas:
Erscheinung mir am Schieferhang oktobers
Mit einem Lächeln vor der Dämmerung,
Mit Einsicht in das Weiterleben unter vielem,
Das unerträglich und das feindlich scheint: –

Leben in Geduld mit Gegenständen und in Armen von Phantomen,
Von Glaube, Liebe, Hoffnung; notfalls

Noch von dem und jenem. – Ach, im Arm
Des Erlendickichts, überm Wasser hangend,
Mit einem Bild drauf, das uns ähnlich ist!
Leben mit dem Geist, der Zeichen setzt,
Vor einem Himmel, über den es nicht hinausgeht,
Auch nicht mit Düsenbombern ...

II

Die Nachtigall in deinem Kopfe schweigt,
Das Schluchzen eines unbekannten Vogels,
Die kleine Kehle in der deinen,
Die Stimme über deiner Stimme.

Sie starb an dir. Fünf Tode starb sie:
Den des Vertrauens, den der Hoffnung, des Geduldens,
Der Liebe, die die Schwermut überliebt,
Und den des Menschen, der du warst, mit Leidenschaften,
Mit Blut, das aus den Nachtgebüschen stürzt
In neue Nacht.

Der unbekannte Vogel schweigt: getötet.
Sein rasches Flügelschlagen, seine Ängste
Vor dir, vor deinem Zugriff, deinem Handanlegen:
Zu spät! – Die fremde Nachtigall ward auf der Luft begraben,
In der du umkamst, im Zenit
Der Träume, die dich leicht besuchten
Und täglich ......
Ihr Wesen – verletzlicher als Echo aus dem Winde –
Hält sich noch eine Zeitlang im Gedächtnis
Der Stille wie in einem unsichtbaren Käfig.
Sie war Besuch in dir,
War vor dem Hintergrund von Leben,
Deinem Leben,
Der Gast aus einer Schöpfung, sehr vergänglich,
Voll Zufall und voll Gleichnis, überzählig
Und nutzlos wie gepreßte Algen, Gräsermähnen und Zikadenschaum.

Die Nachtigall in deinem Kopfe schweigt,
Das Schluchzen eines unbekannten Vogels,
Die kleine Kehle in der deinen,
Die Stimme über deiner Stimme.

In Ohnmacht streue ich ihr Beeren nach:
Weinbeeren, blaue, gelbe, süße Krumen
Des Schweigens.
Ich füttre statt der Anmut nur das Nichts,
Mit Katzengold, mit Unrat oder Trauer.
Die Nachtigall in deinem Kopfe schweigt.
Sie starb an dir. Sie ist von dir getötet.
Und schwarzer Wind spitzt seinen Mund zur Klage.

Du hast den unbekannten Vogel umgebracht.

Gedichte gegen den Tod

1

Die länglichen Früchte der Jasminstaude an die Brust gedrückt,
Mit alchimistischen Muscheln behängt wie mit Geisterspielzeug,
Und den Zucker der Jahreszeiten auf der Lippe –

Anima candida:
Du bist gerade vor Himmel und Wind,
Fängst unschuldige Fische an der Mauer,
Den Schatten deiner Sicherheit im Arm.

Auf Bänken sitzest du bequem.
Das Stroh der Stoppeln drückt nicht deine Haut.
Du bist am Leben und zeigst dein Gebiß den Trauben,
Die dir in die Augen hängen.

Aber ein Toter ist nicht aus Milch und Blut gemacht;
Und du wirst ihm gleichen
Inmitten von Armbanduhren, die die Stunde anzeigen,
Stunde ohne Oben und Unten,
Ohne Himmel und Wind,
Mit Ruß im Feuer, einem Stöhnen in die blaue Nacht,
Nie mehr durch Phanodorm beruhigt.

Ein Toter ist kein Reim auf Zärtlichkeit.
Ein Unkrautbüschel auf der flachen Hand
Ist deutlicher.
Es gibt ihn nur noch
In Lichtern, die man für ihn angezündet,
Im ungemachten Bett, aus dem er stieg,
In dem Geruch, der sich der Frau erhielt, als er ihr über war.
Du wirst ihm gleichen.

II

Ein Spiel Karten die lyrische Landschaft – sehr leicht zu mischen,
Leicht in der Hand zu halten im Traum
Von grünen Fingern der Blätter.
Und die eine, die abgegriffene Karte darunter,
Mit dem Fürsten dieser Welt im Bild,
Über dem sich keine Engel wie Segelboote entfalten –

Tod, ungemischt, gezinkt von Angstschweiß
Und altem Gelächter,
Tod mit Ledermantelgeruch an der mahagonifarbenen Wand:
Rauch vor meinen Augen und schon wieder verflüchtigt,
Hingeweht in eine konfuse Landschaft,
Von Blätterfingern gehalten ...

III

Eingeritzt in die Winkel des Horizonts
Über den glühenden Orten von Rose und Mohn,
Über der Hitze im Fleische erfundener Früchte, dem Fleische des
Lebens;
In die vergehende Süße eines halbwüchsigen Gesichtes eingeritzt,
Mit Spuren Nacht und Mann noch und an einem Morgen,
Eidechsenkühl und feigenfarbig.
Eingeritzt in die Epidermis des Himmels,
Weiß wie Schnee, der nach der Messerschneide schmeckt: –

Dein feindliches Bild,
Deine unsichtbaren Gesten und Späße,
Mit Händen am Hals,
Hinter der Biegung des Baumganges lauernd!

Du Schmerz in der linken Herzkammer
Inmitten vollkommener Freude,
Beim Lachen eines siebzehnjährigen Mundes,
Unter Augen aus Fieber und Eis.

Näher als Körpernähe du,
Geräusch im Blut, kein Schwatzen der Ewigkeit,
Aber grausames Singen von todlosen Mücken.

Über den glühenden Orten von Rose und Mohn,
Im farbigen Hemd, das durch Gebüsche leuchtet,
Abgestreift von der Liebe, die nicht sterben mag: –

Dein altes Antlitz ohne Farbe

Schrecklich und einsam!

IV

Wie Vogelschwarm im blauen Meerhafer eine leichte Wolke:
Gewölke Unmut schwach mir an den Schläfen –

So bist du da, ganz unversehens,
Des Mittags, der wie steigender Delphin ist,
Oder abends, angeraucht von Tabak,
Unschuldig zwischen zwei Pulsschlägen,
Ein kleines Gemurmel im Blut mir,
Indessen ich mich schon im Spiel vergessen übe: –

Vergessen jene Blätter von Platanen, hellbäuchig wie ein
Mädchenleib,
Vergessen der Laubesatem nachts auf der Haut
Im Wind, der für fremde Soldaten wehte,
Vergessen das von der Lampe entkleidete Gesicht einer Frau aus
einem bretonischen Märchen,
Wie alles schnell vergessen ist und leichte Wolke wird.

Tod, hänflingsleicht im blauen Meerhafer.

V

Die süßen Körner des Morgenrots
Streuen sich durchs Gebüsch des Nachthimmels.
Ich kann sie auflesen
Und spüre Freude in mir wie Wind,
Der vor dem Tod keine Furcht hat.

Die Dunkelheit hat ihr Haupt auf die Hände gelegt.
Sie weicht dem Singvogelschwarm des Entzückens,
Der in mir Flügel schlägt.

Jeder Morgen spricht über den Tod sein Urteil;
Und der Fluchtgeruch der Nacht vergeht.
Ich greife die Zeit mit dem Finger.
Sie ruht – ein bewegliches Staubkorn – im Innern meiner Hand.
Vollkommen ist sie wie die rote Fasanenwicke,
Die mit Blüten und mit Schoten behängt ist,
Und hat die trockene, gespaltene Lippe der Erde,
Über die Hitze kam.

Dasein ist stärker nun im Horn der Nägel, die wachsen,
In blonden und schwarzen Bartstoppeln
Und in Frauen, deren Brustwarzen sich unter der Bluse aufrichten.

Jeder Morgen spricht über den Tod sein Urteil.
Ich habe des Morgenrots Körner aufgelesen
Und singe gegen den Frühwind:

Tot ist der Tod!

VI

In einem Antlitz das Flackern der Freude,
Stilles Schiff, das ausfährt, um nicht heimzukehren: –

So kommt der Abend.

Sein Leben wiegt nicht schwer auf der Schulter.
Goldgewölke im Arm, ist er da;
Und der Tod hat noch einmal Geduld:
Ein Geisterseher, dem die eigene Haut feindlich ist,
Solange die Wasseraloë mit weißem Schoß blüht
Und die Dämmerung leicht wie eine Sandwespe ist.

Das Dunkel bewegt seine Lippen.
Es ist schön, wie die Frau, die es nicht gibt.
Unsicher macht es den Tod, den sein Flüstern eine Zeitlang abwendet.

So kommt der Abend.
Sein Leben wiegt leicht auf der Schulter.

Und die Nacht hat die Farbe von Jennys Brauen.
Sie gleicht nicht der Freundin, die ihre Parfüms wechselt.
Sie gleicht nicht der Freundin, in deren Augen Elmsfeuer huschen.
Sie hat kleine Zähne, die glänzen.
Sie hat einen Mund aus Jubel und Stille.

Und der Tod hat noch einmal Geduld . . .

Wind

Wind, Wind, der auf der Wange
Und überm Herzen steht,
Im Laub als grüne Schlange
Aus fremder Luft vergeht!

Mit sanftem Flug der Taube
Und Kuckucksruf gepaart,
Lebst kurz du überm Staube,
Tanzt aus dem Gräserbart.

Zum seligen Geschwirre
Der Geister unterm Mond
Gerätst du in die Irre,
In der das Dunkel wohnt,

Die Stille hinterm Flüstern,
Die augenlose Nacht.
Wind, der in schwarzen Rüstern,
Auf schwarzem Felde wacht!

Wind, der sich auf die Fluten,
Aufs Glas der Wasser legt,
Die blaue Luft mit Ruten
Der Sturmdickichte schlägt.

Wind, der den hellen Nacken
Der Badenden gestreift
Und unter Blusen, Jacken
Mit kühlen Händen greift.

Jäh überm Sensenrücken
Huschst du ins Mittagslicht:
Ein fliegendes Entzücken
Des Nichts. Bist Ungewicht

Wie graue Pappelstimme,
Der alte Sommerlaut,
Leicht wie im Holz die Kimme,
Wie Salzkorn auf der Haut.

Wind, Wind, der flüchtge Spuren
Auf Herz und Wange schreibt,
Vergängliche Figuren,
Dem Schweigen einverleibt.

Strand

Weiche Glieder. Der Abdruck von Hüften
Und Zehen im weißen Sand,
Zarte Figuren, sich spiegelnd in Lüften,
Der Umriß gebräunter Hand

Im Wind, der die Segel von Booten
In salziges Wasser taucht,
Wenn Sommer auf Rücken in roten
Dünen wie Feuer raucht.

Gespräche. Das Murmeln von Stimmen
Leicht über gebadeter Haut.
Im Schatten von Schultern schwimmen
Die Träume wie Fische. Ein Laut

Vergessen, ein Echo des süßen,
Des vogelhaft raunenden Lichts,
Treibt auf den Strand, uns zu Füßen,
Die Teerspur des heiteren Nichts.

Undine

Wozu sind Dichtungen gut,
Wenn nicht für den Tau.
Pablo Neruda

1

Die rissigen Glasuren
Der Schattenfrüchte,
Durch die die Blitze fuhren,
Die dunklen Süchte:

Gestreichelt von den spitzen
Undinenfingern,
Die leicht die Teichhaut ritzen
Und im geringern

Lichte der Dämmrung fühlen
Am Kern der Mandel
Die Bitternis, den kühlen,
Den Zeitenwandel.

Ihr Glieder, unvergänglich
Aus Mond und Zauber,
Olivenantlitz, bänglich
Beim Ruf des Tauber,

Mund, in die Luft geschnitten,
Sanft überm Glase
Des Wassers hingeglitten,
Verzehrt vom Grase!

Ein Bild im Wind, verflogen
Wie Ton der Biene,
Wie Echo hingebogen
Im Laub: Undine . . .

II

Zweikampf der Schatten im Laub,
Leicht wie das Gleiten von Fischen,
Die in der Dämmrung verwischen,
Schuppen aus grünlichem Staub!

In der geronnenen Luft
Blitzen die Dolche der Fluten,
Ziehen wie Schiffe die Gluten
Des Kalmus vorüber als Duft.

Mit blauem Tau unterm Lid,
Tauchst du, den Nacken gebogen
– Den schweigsamen Schnee – aus den Wogen,
Tauchst aus dem bronzenen Ried.

Unter die Otterhaut
Fahren die schwärzlichen Flammen
Der Hitze, schlagen zusammen
Über dir: feuriger Laut!

Und du läßt aus der Hand
Aale schlüpfen in raschen
Wind, der zerrissene Maschen
Der Netze treibt auf den Strand.

Messerwurf hing wie ein Schrei
Im Himmel von tödlicher Süße.
Wasser begrub deine Füße,
Stieg an der Stirn dir vorbei.

Tief in Gebüschen aus Zorn
Wuchsen die Fischerbrauen,
Drohten die Stimmen, die rauhen,
Unter des Mittagsmonds Horn.

Aber du hattest gemischt
Dich unter Vögel und Schatten,
Eins mit dem duftenden, matten
Teichfeuer, eh es erlischt.

Im Rückspiegel

Auf goldener Scheibe
Dreht sich uns im Rücken
Die Stadt aus Glas
Mit langschenkeligen Häusern,
Bewegungen der Autos
Vor zarten Mauern.
Die Spiegelbilder ihrer Straßenzüge
Stehen in der Luft wie Flamingos
Und kröpfen die Stille: –
Apokryphe Tiere . . .

Durch deine Augen – lebendige Teiche –
Sprengt lautlose Reiterei.
Hinter deinem Mund
Hört alles Lächeln auf,
Beginnt die Ratlosigkeit der Welt,
Beginnt die Sprachlosigkeit der Welt . . .
Dein leichtes Profil
Wird zur Wolke.
Die Flamingos werden sie lieben,
Indes ich zurückbleibe mit meinen Händen,
Die ich zum Ruf an die Lippen halte.

Pfauenschrei

Das zarte Einerlei
Des Rosendickichts bebt,
Wenn kurzer Pfauenschrei
Wie grüne Wolke schwebt.

Ein zweiter. Und die Luft
Zerschneidet er wie Messer.
Sie schwankt, zerfällt als Duft
Der schilfigen Gewässer.

Unsichtbar steht der Ruf
Überm gestorbnen Winde,
Den sich die Stille schuf
Im Honigarm der Linde.

Unsichtbar wie die Pracht
Im Licht geschlagner Räder,
Von fremder Lust erdacht,
Blitz überm Staubgeäder.

Nur Schrei um Schrei. Das Blau
Des Gartenmittags zuckt
Zusammen: leichtes Grau,
Das in den Kies sich duckt.

Der schlimme Vogelton
Beherrscht das Rosenland,
Bildet als Echo schon
Sich aus vor grüner Wand,

Lebt zwiefach, wie aus Zorn
Geschaffen, da wie dort,
Zieht unterm bleichen Horn
Des Tagesmondes fort.

Beim Schnaps

I

In der Nordhäuserpfütze
Vergängliches Gesicht,
Das ich vergeblich schütze
Vor Nacht und schwarzem Licht!

Das ich mit nassem Finger
Hinzeichne an die Wand!
Gesicht aus Traum, geringer
Als Regenspur im Sand.

Ich ziehe Mund und Wange
Auf meinen Tische nach,
Wie ich vorm Dunkel bange
Und Asche wird der Tag.

Des blanken Holzes Maser
Läßt kurz dein Bild nur zu.
Vergeht die letzte Faser
Von Bluse, Rock und Schuh:

Bin ich mit dir alleine
Nun anders, wenn im Glas,
Im zarten Widerscheine
Dein Leben weht wie Gras:

Ein Flüstern überm Schweigen,
Ein zauberischer Laut,
Wie Fallen und wie Steigen
Von Schatten auf der Haut.

Im hellen Schnaps, im Spiegel,
Der unaufhörlich sinkt,
Gebrannt im Geistertiegel,
Dein leichtes Antlitz winkt.

Ich sinke durch die Mitte
Des Schweigens jäh ihm nach.
Ich höre deine Schritte;
Und aus der Nacht wird Tag.

II

Ihr Namen, gefunden
Zur Nacht, unter Trauern,
Von Schwere entbunden
Beim einsamen Lauern

Auf leichte Geräusche
Des Glücks, eines Lebens,
Des stets ich mich täusche:
Für immer vergebens.

Nordhäuser, verschnitten
Mit heimlichen Tränen!
Steinhäger, gelitten
Wie Wind und wie Wähnen!

Verschüttete Wasser,
Vorbei meinem Munde!
Gin, zärtlicher, nasser
Geist über dem Grunde,

Voll Heiterkeit, Nahsein,
Indessen die rasche,
Die Spermaspur Dasein
Trübt lautlos die Flasche.

Ich spüre den Essig
Schon unter der Zunge.
Die Schwermut ermess' ich,
Den Schmerz in der Lunge,

Die nutzlosen Leiden,
Die Kälte im Nacken,
Wenn früh unterm Scheiden
Der Sterne das Knacken

Von Fingergelenken
Der einzige Laut noch,
Auf Tischen, auf Bänken
Das Tageslicht graut doch.

Aufschwung

Über heitre Flut sich bücken,
Grünen Umriß, Blätterzwitschern,
Und mit wachsendem Entzücken
An die leichte Luft gelehnt!

Überm Flüstern vieler Rosen
Leuchtet Glück mit feuchten Augen
Ganz aus Wind. Metamorphosen
Wurden Beute süßer Dauer.

Senkrecht unterm breiten Lichte
Und mit Jubel schön gegürtet,
Summen Wunder, atmet dichte
Zeit – ein Bündel Ewigkeiten

Ohne Marter, in der Schwebe
Von des Mittags Arm gehalten.
Wie ich lautlos mit ihr lebe,
Spür ich Dasein in den Pulsen.

Freude! Und die Zufallslose,
Stoffwechsel des alten Lebens,
Weichen: – Einsamer Matrose
Stirbt so auf dem blauen Wind.

1953

Wasserflasche

Die leichte Schärpe der Stille
Liegt um den Flaschenrand.
Luft löst wie blaue Pastille
Sich auf in meiner Hand.

Wie Stoff, geschaffen für Feen,
Steht Wasser hinterm Glas,
Aus zierlichem Geist ein Wehen
Und flüchtiger als Gas.

Der Schopf des Windes, die Strähne
Von violettem Licht,
Berühren wie Lippen und Zähne
Den Flaschenhals ohne Gewicht:

Ein Bündel Gedanken, die flüssig
Wie schwarzer Lavendel sind.
Mit trockenem Munde küss ich
Den heiteren Regen, der rinnt,

Das Bild des Wassers, die Spiele
Domino oder Schach
Aus nassen Schatten. Wie viele
Fluten von Gold stürzen nach! ...

Zum Mittag hin

Augapfelfarbe
Der Morgen-Minute
Unter der Garbe
Flüssigen Lichtes!

Die Atmosphäre
Ist neu erschaffen.
Wie eine Beere
Duftet die Anmut,

Während am Munde
Schmilzt ein Frohlocken,
Angstlose Kunde
Flüstert von oben.

Aber den dichten
Mittag bevölkern
Theseus-Geschichten,
Treulosigkeiten,

Wenn auf den Kissen
Der Winde schläfert,
Von Liebesbissen
Erschöpft, das Dasein,

Wenn volle Süße
Entsteigt dem Laube
Und um die Füße
Grasfahnen wehen,

Vernunft vergänglich
Ist in der Hitze,
Die schwer und länglich
Sich zieht in Schoten.

Die Unvernunft der Herzen

Die Unvernunft der Herzen,
Die Beute schöner Rätsel,
Bleibt kurz wie Kuckucks-Terzen
Im schmalen Winde stehen.

Sie hält sich auf der Welle
Des Stroms aus alten Tränen,
Gebadet von der Helle
In blauen Häusernischen.

Sie taucht im Schatten unter
Von fremd gewordner Klage
Reglos im Leuchten bunter
Kokardenblumen-Wildnis.

Mit kühlen Spötteraugen
Verfolgt der Mann im Mond sie,
Die nur zum Flüstern taugen
Von Worten ohne Kummer,

Die stumm im Ungewissen
Entzücken um sich sammeln
Aus Schnee und aus Melissen,
Aus Mund und braunen Gliedern.

Drei Orangen, zwei Zitronen

Drei Orangen, zwei Zitronen: –
Bald nicht mehr verborgne Gleichung,
Formeln, die die Luft bewohnen,
Algebra der reifen Früchte!

Licht umschwirrt im wespengelben
Mittag lautlos alle Wesen.
Trockne Blumen ruhn im selben
Augenblick auf trocknem Wind.

Drei Orangen, zwei Zitronen.
Und die Stille kommt mit Flügeln.
Grün schwebt sie durch Ulmenkronen,
Selges Schiff, matrosenheiter.

Und der Himmel ist ein blaues
Auge, das sich nicht mehr schließt
Über Herzen: ein genaues
Wunder, schwankend unter Blättern.

Drei Orangen, zwei Zitronen: –
Mathematisches Entzücken,
Mittagsschrift aus leichten Zonen!
Zunge schweigt bei Zunge. Doch
Alter Sinn gurrt wie ein Tauber.

Der Nachmittag

Das Licht zieht Handschuhe an.
Tristan Tzara

Ein Blitzen von Olive,
Limone, lichtzerschnitten!
Nachmittags-Perspektive
Zeigt den Verfall der Tage.

Die Lider werden schwerer
Vom Silber sechster Stunde,
Die Schatten ungefährer
Auf geisterhaften Straßen.

Und unter Gegenständen,
Verlorener als Sage,
Die Schultern und die Lenden
Der Hügel unterm Winde.

Verdunstend wie ein Wasser
Im Glas: der alte Himmel.
Die Luft trägt Spuren nasser
Wildrosen der Gefühle.

Die Wahrheit ist der Abend,
Der kommt, im Arm das Dunkel,
Auf Maultierhufen trabend,
Und Lichter vor den Augen.

Schatten in der Luft

Schatten in der Luft: Gespenster
Aus blauer Uniform wie große Schmetterlinge.

Die Träume sind gekleidet mit Verdacht:
Prähistorische Faune,
Die nüchtern wurden an der Gegenwart
Der luftigen Ereignisse.

Schatten von oben: wenig sicher wie
Montagsgedanken; und der Sonntag war
Voll Vogelfedern, heller Mädchenhandschuh.

Das sanfte Wasser Himmel: einmal badeten
In ihm geschlossne Augen, viele Blätter.
Nun aber
Ist Kälte da, Geruch
Von Einsamkeit. Kein Goldfisch schwimmt
Im Glas des Mittags mehr.

Luft voller Schatten! Und der Marmor
Vergangenen Fleisches fröstelt.
Eine schwarze Fahne
– Schlaf ohne Traum –
Entrollt sich und fließt langsam über Schultern.

Orte der Geometrie

Orte der Geometrie:
Einzelne Pappel, Platane.
Und dahinter die Luft,
Schiffbar mit heiterem Kahne

In einer Stille, die braust.
Einsames Sich-Genügen
In einem Himmel aus Schaum,
Hell und mit kindlichen Zügen.

Alles wird faßlich und Form:
Kurve des Flusses, Konturen
Flüchtender Vögel im Laub,
Diesige Hitze-Spuren,

Mundvoll Wind und Gefühl
Für blaue Blitze, die trafen
Körperschatten, die sanft
Schwankten wie Segel vorm Hafen.

Wolken

Wolken, ironisch
Vom Himmel gebadet:
Bilder, die konisch
Im Gegenlicht stehen,

Vom Ungefähren
Der Landschaft vergeistigt,
Alkiphrons Hetären
In Lüften vergleichbar:

Wie sie auf den Teppich
Der Winde gelagert,
Bei Eiben und Eppich,
Mit zierlichen Brüsten.

Wie sie unter Spielen
Den Vögeln vereinigt,
Wenn leise auf Stielen
Die Mohnrosen schwanken.

Mit schwarzen Pupillen
Beäugt sie das Dunkel
Des Abends der Grillen
Aus zärtlichem Abstand.

Das Wasser der Träume
Verdunstet in ihnen,
Wenn glücklich durch Bäume
Die Nacht kommt mit Kerzen ...

Wolken, verschüchtert
Von spöttischen Schatten,
Von Geistern ernüchtert
Der sachlichen Stunde.

Krümmung der Ferne

Krümmung der Ferne,
Blicken entzogen,
Wie ich sie gerne
Fasse als Jenseits:

Landschaften mit Schiffen,
Heiter in Bäumen,
Wimpeln und Pfiffen,
Seefahrerblusen.

Leicht aus Gedanken
Mittags errichtet:
Meer, dessen Flanken
Unruhig schlagen.

Rötliche Schuppen
Glänzen am Strande.
Tanz von Schaluppen
Unter dem Winde.

Krümmung der Ferne!
Arglos dahinter
Zärtliche Ahnung,
Land ohne Winter.

Spiele der Wärme,
Torsen im Laube,
Hell, ohne Alter;
Während der Glaube

Aufsteigt im Rauche:
Unschuld der Schwebe,
Aus Luft und Anmut ein
Loses Gewebe . . .

Verdacht

Verdacht, diese flüchtige
Spur in der Lymphe,
So leicht in der Blutbahn
Wie arglose Nymphe,

Der Achsel des Baumes
Mutwillig entstiegen!
Verdacht, wenn die Schatten
In Armen sich liegen.

Die Grazie des Windes
An laubiger Hüfte:
Umsonst wie die süße
Versöhnung der Lüfte!

Ein jähes Vermuten
Entkräftet die Sinne,
Die Unschuld der Bilder,
Den Traum mitteninne,

Erhebt sich als Schlange
Aus grünlichem Staube.
Im Himmel verblutet
Vertrauen, die Taube.

Wo endet das Auge?

Wo endet das Auge?
Leicht hinter der Linie
Des Horizonts, glücklich
Im Licht der Glyzinie,

Im blauen Gewoge
Des Himmels, im Garten,
Korbweidenumstanden,
Beim Mittags-Erwarten.

Darüber die Tiefen
Des Jenseits, erraten
Vielleicht noch: gespenstisch
Von toten Soldaten

Und Engeln bevölkert,
Die unsicher fliegen,
Mit Bildern, die hinter
Der Netzhaut schon liegen.

Wo endet das Auge?
Beim heiteren Raunen
Der Nähe, des Daseins. –
Im raschen Bestaunen

Der leuchtenden Fläche
Verlangt es nicht weiter.
Es weist ihm nach oben
Aus Luft eine Leiter.

Vorgänge

I

Die »Gebt-Feuer«-Gesichter von Soldaten früherer Zeiten
An der Wand.
Zwei Stühle darunter:
Stelldichein der Leere aus Korbgitter.
Gute Menschen langweilten sich auf ihnen,
Während die Physiognomien des Mars
Vertraulich taten.
Da ließen sie die Stühle im Stich
Und flohen vor der Bedrohung
Hinaus, um zu sehen
Was hinter der Wand vor sich gehe.
Aber sie fanden
Wiederum nur zwei Stühle, die
Zum Sitzen einluden,
Und eine Wand
Mit den »Gebt-Feuer«-Gesichtern von Soldaten kommender Zeiten.
Die Physiognomien des Mars
Taten vertraulich.
Da wußten die guten Menschen
Sich nicht anders zu helfen, als
Die seltsamen Köpfe
In Medaillen zu münzen:

Lyrischer Augenblick der Numismatik!

II

An einer windgeschützten Stelle
Spürt der Mann in Bluse
Bei der Arbeit die Kälte nicht,
Die die wie mit Kohle gezeichnete Landschaft entkräftet.

An einer windgeschützten Stelle
Ruft die Zikade im Stein
Und nimmt den Oktober für Juli.
An einer windgeschützten Stelle
Entsteht aus ein wenig süßer Luft und zwei Körpern
Ein Liebespaar.
An einer windgeschützten Stelle
Endet ein Gedicht in einem Reim
Und noch die Gespräche über Abwesende
Sind voll verhaltener Zärtlichkeit.

Aber man sollte sich nicht täuschen lassen:
Schon ein paar Schritte weiter
Ist es ratsam, den Hut ins Gesicht zu ziehen.

III

Ein Hut voller Singvögel, in rosa Luft geschwenkt:
Versuch des Jahres,
Durch Wohllaut zu erschüttern!
Aber die arkadische Tonleiter
Wird rasch unsicher
Im Himmel, und die Käfige
Der Vogelfänger stehen weit offen.

Jemand ließ einen Entwurf machen
Von einem Leben ohne Trauer.
Die historischen Voraussetzungen indessen
Waren nicht günstig,
Und wie das Singvogel-Sterben
Waren einige Umstände nicht
Aus der Welt zu schaffen:
Es blieb dabei, daß
Zu viele etwas vom Waffenreinigen verstanden,
Daß Herzen durch Wolken
Sich dem begangenen Verrat entzogen

Und obszöne Kreide in obszönen Fingern
Auf Ziegelmauern die Beschreibung vom Menschen gab.

Aber in jedem April
Wiederholt der Versuch sich,
Zierlicher Vorgang: –

Ein Hut voller Singvögel, in rosa Luft geschwenkt!

IV

Zwei Menschen, die in einer Pappelallee
Aufeinander zukommen:
Begegnung von zwei Tigern.
Und der Wind bauscht teilnahmslos die 5-Uhr-Jacke des einen,
Die rot gewürfelt ist,
Und streift zufällig die 5-Uhr-Jacke des anderen,
Die blau gewürfelt ist.
Ihre Herzen schlagen wütend gegeneinander,
Aber listig auf den undeutlichen Gesichtern
Steht ein Lächeln wie Suppe, die kühl wird.
Ehe sie einander grüßen,
Fiel der eine im Innern
Über den anderen her: Großkatzensprung
Aus brutalem Gebüsch.
Beide waren zerfleischt, ehe der Blätterschatten
Vom Nachmittag zerstört war.
Doch der Teufel war inzwischen
Schon ausgewandert
Und schrie als Häher auf der Luft. –
Da verbeugten sie sich tief
Und waren aneinander vorüber.

V

Der Nachmittag war von indianischer Hautfarbe.
Sie verdienten sich ihn durch Stillschweigen
Über das, was hätte sein können.
Einmal hatten sie gemeint, es ließe sich
Anders leben und mit anderen.
Nun fanden sie sich übriggelassen:
Zwei in einem Nachmittag
Von indianischer Hautfarbe.
Die anderen
Lagen als durchsichtige Schatten
Auf einer Luft voller Wunden.
Das Wunder war ausgeblieben,
Und man mußte sich zu zweit gefallen
Und einander Wolf sein, Schlange, Vogel und Bock
Und den Abend abwarten,
Der den Glanz einer Iris annahm, wenn es gut ging,
Nachdem der indianische Nachmittag
Und seine durchsichtigen Schatten
In der Luft versunken waren:

Untergang möglichen Daseins!

VI

Die Welt im Konjunktiv
Schüttet sich aus der Ginflasche
Ins flache Glas.
Man spürt sie als Beize
Am Zahnfleisch.
Aber immer erliegt sie
Dem Zustand, der einige Stunden später
Das »Hätte« und »Möchte«
Abbaut.

Was übrig vom Fisch bleibt,
Sind die Gräten.
Die Beweiszone ist eisiger
Als der Zauber Ulmenlaub und Mädchenknie.
Die Schärfe des Messers zeigt sich
Im Schnitt durch die Illusion.

VII

Im Glas eines Spiegels
Dekliniert sich Anmut
Leichter als Eitelkeit,
Und das subjektive Hosiannah
Wird zum kläglichen Lärm.

Im Glas eines Spiegels
Zeigt sich das Gesicht einer Hochmütigen
Als gedunsene Elster
Bei 75-Watt-Licht.

Im Glas eines Spiegels
Bleibt die Hygiene zurück,
Kalt wie Tauwasser und ohne
Schamteile schamlos.

Im Glas eines Spiegels
Ereignet sich immer wieder
Das Märchen von einem,
Der auszog, das Fürchten zu lernen.

VIII

Sie sehen den Schatten nicht,
Den eine zarte Kniekehle wirft.
Sie sehen nicht das Aquarium Luft,
Fische darin, mit Schuppen aus Wind.
Sie sehn nicht die kentaurische Jahreszeit

Mit Himbeergebüschen an der Hüfte.
Sie sehen die süßen Träume nicht
An der Schläfe Bertran de Borns.
Sie sehen den nächtlichen Leoparden nicht,
Krieg, der Kätzchen spielt,
Und nicht das schmelzende Metall
Einer Frauenschulter.

Aber sie heben den Kopf,
Wenn Essen vorbeigetragen wird!

IX

Am besten unterhält man sich
Im Zimmer über die Interpunktion,
Die bei Recht und Unrecht
Anzuwenden ist.

Vor der Tür die Polizisten
Stecken sich Zigarren ein.
Vor der Tür die Ordnung hat
Schon am Abzugshahn den Finger.

Am besten unterhält man sich
Im Zimmer über die Ausschreitungen
Der Phantasie.

Vor der Tür die Karabiner
Sind aufs Schlüsselloch gerichtet.
Vor der Tür bei kaltem Braten
Warten gern die Realisten.

Immer zwischen draußen und
Drinnen lauern Unterschiede:
Lächerlich, kaum wahrzunehmen
Für die meisten, die Gewalt
Nicht von Lyrik trennen brauchen.

X

Auf dem elektrischen Klavier,
Wenn die Münze geschluckt ist,
Die Weise von Dein und Mein,
Von Zueinander und Auseinander,
Die Groschenweise von Glück und Wind und Vergißmeinnicht,
Von Augapfel und Liebe in Sanskrit und Polynesisch.

Die Drei-Minuten-Märchenerzählung
Unter Vermeidung gängiger Vokabeln
Wie »Maschinenpistole« oder »Schulterdurchschuß«.

Das geht rasch vorbei,
Und man ist wieder draußen
In anderer Luft, und das Pianola
Befriedigter Sentimentalität
Vergißt sich überaus schnell.
Man kann wieder daran gehen,
Halbe Portionen zurückzuweisen
Und Engel auf Draht zu ziehen.

Das Groschenklavier freilich
Erregte schöne Vorstellungen,
Jenseits unwillig eingenommener Mahlzeiten.
Sinnlich wie Faunsschelten
Die Weise von Dein und Mein,
Von Zueinander und Auseinander,
Grasgeruch, Geraschel welkender Neigungen ...

Und man kann jederzeit darauf zurückkommen!

XI

Fahnenflüchtige Sensibilität des Mannes!
Über dem Lager bei Flaschenbier und Kirsch
Schwebt der mißratene Engel Phantasie,
Und die Gesäße alternder Frauen
Wurden zum kleinen Hintern
Einer Achtzehnjährigen.
Das Geister-ABC
Der einsamen Nacht
Jenseits der schnäbelnden Brieftaube
Gewohnheit
War wie zarte Windsbraut,
Mit dem Schatten von jungen Linien
Im Zimmer.

Wenn der tote Punkt überwunden ist,
Zeigt sich Anmut.
Wenn die Wirkung der Rätsel einsetzt,
Hat die Vergeblichkeit Pause.
Wenn die letzte Flasche im Luftzug
Der Dämmerung schwankt,
Ist es Zeit, sich wieder abzufinden.

XII

Wer sich eine Zigarette anzündet,
Ist nicht mehr allein.
Ein kleines Feuer über seinen Lippen
Verzehrt sich nicht umsonst,
Und der Brandgeruch
Ist süßer als der Duft des Mondes
Über einem Glas mit Wasser.
Unaufhaltsam zieht die kurze Wolke
Am Gesicht vorbei

Und verliert sich in der Berührung
Mit der Grazie des Augenblicks.

Wer sich eine Zigarette anzündet,
Muß damit rechnen,
Daß die Asche um ihn her zunimmt
Und feindseliger Sauerstoff
Sich durchsetzt,
Auch wenn er zur nächsten greift: –

Einsamkeit, dunkle Stelle
Im Röntgenbild.

Laubhütte des Traums

Laubhütte des Traums,
Leichter als der Herzmuskel
Geschwächt vom spöttischen Luftzug.
Im Kreislauf vernehmbar
Nachts zwischen ein paar Gläsern
Branntwein: zarte Arche,
Die auf der Stille treibt.

Laubhütte des Traums,
Undeutlicher als der Geruch von Tuberosen.
Errichtet aus Phantasie
Zwischen zwei Pulsschlägen,
Die Coffein beschleunigte.
Obdach erfundener Vögel und verdächtigter Gefühle,
Und schon ein Haufen toter Blätter
Im Augenblick der Einsicht
In die Untreue der Minute.

1954

Zuflucht im Kühlen

Die leichten Gewächse
Der Luft, dran ich lehne!
Im Laub die Reflexe
Auf Haut mir und Sehne!

Bewegung im Schatten,
Gewürzt wie Pistazie,
In Armen des matten
Geleuchts der Akazie,

So bin von der Hitze
Versöhnt ich und gleite
Durch grünliche Blitze
Ins Kühle, ins Weite,

In Wasser, das zwischen
Den Fingern rinnt: – Silben
Aus Licht, die verwischen
Beim raschen Vergilben

Der fiebrigen Blätter,
Die lautlos sich drehen,
Im feurigen Wetter
Des Sommers vergehen.

Blätterlicht

Blätterlicht, Amalgam,
Silber in grüner Luft!
Zärtliche Ferne kam
Zu dir und blieb als Duft.

Modelliert zur Figur:
Schatten, der leicht sich dehnt
Und mit genauer Spur
Sich aus dem Laube sehnt

Hin in ein Land, drin heiß
– Heiteres Element –
Wange des Windes weiß
Über dem Staub verbrennt.

Fabelzeit

Süße, die sich gefügt
Im Pergolesi-Ton,
Geisterhaft sich vergnügt
An andrem Leben schon:

Zart wie ein Kartenspiel
Nun auf dem Wind, der stirbt,
Wie's einer Hand entfiel –
Reife Frucht, die verdirbt,

Die sich auf Lippen schürzt –
Lächeln und leichter Gruß,
Die tote Zeit verkürzt
Langsam zum Limehouse-Blues:

Die neue Fabelzeit
Bricht unaufhörlich an.
Mit alter Süßigkeit
Schenkt sie sich Frau und Mann.

Serva Padrona und
Kartenspiel auf dem Wind,
Bis zwischen Herz und Mund
Alles im Nichts verrinnt.

Zeit der Zahlen

Die Zahl ist in allem.
Baudelaire, Raketen

Das Einmaleins, auf Wasser
Und Mauern hingeschrieben,
Im Birnenfleisch geläutert,
Aus goldnem Wachs getrieben,

Gebändigt von den Geistern,
Die aus der Stunde steigen!
Die Zeit der Zahlen duftet
Im alten Ulmenschweigen,

Im rostenden Metalle,
Von leichtem Licht umflossen.
Man dividiert sie immer
Zu spät. Die Ankertrossen

Sind längst schon aus der Tiefe
Des Jenseits hochgewunden.
Die Zeit der Zahlen endet
Im Abgrund der Sekunden,

Des Pfiffs, der von vier Fingern
Im Mund fliegt in die Wolke.
Das Einmaleins: Geschichte,
Geraunt vom Schiffervolke!

Metamorphose

Blonde Soldaten aus Wind
Und Träumen der Stunde Null,
Lang füsiliert schon: sie sind
Leicht wie ein Vers des Catull

Versetzt in die Scherbe Blau,
In Himmel, und ruhen aus
Bei einem Bade von Tau
Im heiteren Niemandshaus.

Die Karabiner im Arm,
Wie Bilder auf altem Email
Und Luft, die geduldig und warm
Durchrieselt das grüne Detail:

Zerbrochne Gebüsche, Geruch
Von Leder und Koppellack –
Aus fließendem Schweigen ein Tuch ...
Entfernter Dudelsack

Beklagt sie, die ohne Bart
Und Orden wie Schatten tun,
Wie Geisterseher, und zart
Auf ihren Gewehren ruhn.

Entführung

Der Wind, der den schwarzen Standbildern
Die Augen schließt,
Öffnet deine Bluse am Hals.

Der Wind, der weder Ja
Noch Nein sagt,
Legt Hand an dich.

Der Wind, der Zeichen des Pythagoras
In die Luft wirft,
Ist dir über.

Die Taube in deinem Herzen
Ist in seiner Gewalt.
Ohne Widerstand
Läßt sie sich töten.

Aber überm Herzen die Boote
Haben Segel gesetzt. Ihr Tuch
Reibt sich an der Wange der Brise.

Wind der Fremde
Mit wehenden Meerkatzenbärten
Auf blauer Reede,
Die dich entführt!

Zauber

Taschenspieler Tag mit Karten
Unterm gelben Tuch der Hitze,
Mischt sie mit Platanenfingern
Lautlos: eine Handvoll Blitze,

Zinkt sie mit der schwarzen Mater,
Pantomime alter Schatten.
Und vom Zauber rasch entkleidet,
Glühn, die sich verloren hatten:

Mädchentorsen, sanft zerschnitten
Von dem Liebes-Trick der Stunde,
Aufgelöst zu Knie und Hüfte
Und mit feuchtem Licht im Bunde.

Heiterkeit der Aubergine
Wird als Flötenruf genauer,
Biegt gymnastisch sich nach oben,
Tanzt wie Stroh vor heißer Mauer.

Die Reise

Im kleinen Hexenlicht der Augen
Entweicht die letzte Goldspur aus der Luft.
Jeder Abschied hinterläßt
Geleerte Tassen und das Fingermal
An der Wange des Schweigens.

Die Reise, die man antritt,
Ist geschaffen, die inwendigen Musen

Zu vergessen.
Das Gesicht wird hart,
Und die zweite Stunde
Gleicht der ersten nicht mehr.
Der Händedruck verfeinerte sich
Zur Erinnerung,
Die ohne unzüchtige Masken ist.

Die Reise macht
Rauch aus Standbildern.

Die Wiederkehr entzündet
Doch immer wieder
Mit dem Zwei-Groschen-Docht
Das kleine Hexenlicht der Augen.

Aggression

Man muß Braten bereit halten
Und einen Gitarrenboden voll Nordhäuser.
Man muß Betten bereit halten.
Eine blonde Frau für einen dunklen Mann,
Eine dunkle Frau für einen blonden.
Man muß Betten bereit halten.
Man muß die Metaphysik bereit halten,
Seinen Glauben und alles, was einem lieb ist.
Man muß die Zivilisation bereit halten.

Immer blieb einiges übrig,
Was man bereit zu halten vergaß.

Wenn es dann soweit ist,
Hält der eine den Rücken bereit,

Ihn zu beugen,
Der andere in seinen Taschen Messer, Revolver und Strick.
Aber vielleicht ließen die Eroberer
Die Konvention beiseite
Und man wäre durch ein Augenzwinkern verständigt:
– Illusion der letzten Viertelstunde!

Verhandeln ist zwecklos

Verhandeln ist zwecklos. Aber vielleicht,
Wenn der Muse wie einem tödlich verwundeten Vogel
Das Haupt nach vorn sinkt
Und ihr Haar auf die Brust fällt oder die Liebe
Sprichwörter hersagt und die Brüderlichkeit
Der Seidenkühle auf der Haut liegt,
Sollte man es noch einmal versuchen.
Ein sentimentaler Vorgang bietet Anlaß genug,
Gefühl um Gefühl zu korrigieren.
Hinten im Zugwind
Stehn die Bilder des Dichters und frieren.

Verhandeln ist zwecklos. Aber vielleicht
Ist die Geste der Freundschaft schon etwas wert
Und die weltlichen Tiere Mann und Frau
Und der wirksame Staat und die liebenden Leiber
Der Statuen wären auf einmal
Einander verwandt.
Das Unmögliche bietet Anlaß genug,
Die Realität zu korrigieren.
Hinten im Zugwind
Steht die Grammatik des Dichters und wartet.

Verhandeln ist zwecklos. Aber vielleicht
Ist doch noch nicht alles verloren, und das grüne Denken
Des Laubes, die Glocke Nachtigallen darin,
Und die Droge Sommer und Stille bleiben weiter
Bekömmlich, die süßen Gebärden
Der Vergeblichkeit rührten den Stein.
Die Hoffnung bietet Anlaß genug,
Das Leben zu korrigieren.
Aber im Zugwind
Steht der einsame Scharfschütze, der kein Verhandeln
Kennt.

Soldatengedichte

Generale siegen, Soldaten fallen.
Japanisches Sprichwort

I

Ihr seid natürlich auch nur
Aus Rauch und Wasser, wenn man
Euch allzulang hantieren
Läßt mit dem alten Tod.

Und gestern, heute, morgen
Ist er euch sehr gewogen: –
Von Leichtmetall die Schultern,
Die Augen immer schon

Gerichtet auf den nächsten,
Aus Kunststoff Arm und Nacken,
Gebiß aus Jacket-Kronen
Und überhaupt euch gleich

An Dasein, das sich seltsam
Verflüchtigt – Rauch und Wasser –
Wenn ihr mit schwarzen Tüchern
Aus den Kasernen winkt.

II

Das ist wohl so: Pistolen,
Gewehre sind zerlegbar
Wie Krieg und Frieden oder
Ein Lichtbild auf der Brust.

Ihr übt euch seit wie lange
Schon ein auf die Gebärden
Neutraler Luft, die langsam
Vor euch zu Staub zerfällt.

Imaginäre Schützen
Längst selber! Stahl und Rose
Entglitten euren Fingern
Und überleben euch.

Politisch

I

Sicherheit: Daumenabdruck
Auf einem Papier, das stimmt
Und auf jeder Polizeistation
Weiterhilft!

Demeters Furche ist unfruchtbar,
Wenn ein Maueranschlag es anordnet.

Die Knie der Götter
Sind ohne Belang:
Physische Bildungen des Zufalls.
Ein Parteiprogramm dagegen
Ist immer frei
Von solcher Unschuld.

Spricht wer
Von Circes Haar, den vegetabilen
Banden der Anmut,
Ganz aus Laub geschaffen?

Ein Paß ist besser als
Ein Traum zu lesen.

Politisch: eine Hand
Wächst aus dem Boden,
Achtlos dem andern einmal abgetrennt!

II

Falte die Decke.
Lösche die Lampe.
Die trügerische Anästhesie
Des Dunkels ist verantwortungslos
Wie der Schlaf.

Falte die Decke.
Lösche die Lampe.
Die Nacht birgt wie Bernstein
Eine Mücke: Dein Gedächtnis!
Dein Gewissen!

Falte die Decke.
Lösche die Lampe.
Der Staat, das ist
Der steinerne Gast.
Er erscheint: allen Abwehrgesten
Zum Trotz.

Falte die Decke.
Lösche die Lampe:
Die Zeit ohne Dokumente
Ist dennoch nicht im Anbruch.

Falte die Decke.
Lösche die Lampe.
Schon nähern sich Schritte
Deiner Tür. Wirst du dich
Ausweisen können?

Falte die Decke.
Lösche die Lampe.
Deine Stunde wird
In jedem Fall schlagen!

1955

Wahrnehmungen

1

Er wirft ein Auge
Auf die Viertelstunde,
Durch die er sich bewegt,
Und ist im Genuß
Aller Augen, die auf ihn gerichtet sind.
Das geht eine Weile gut.
Dann spürt er, wie sie ihn
Zu durchbohren beginnen:
Die Blicke aus dem Mörtel,
Die Blicke aus langstieligen Blumen
Und hinter den halb herabgelassenen Wimpern
Der schweigsamen Minuten.
Er weiß sich vor ihnen
Nicht mehr zu bergen.
Bis er plötzlich die sanfte Veränderung
Wahrnimmt, die schwarzen Stellen
Auf der Luft.

Damals begann sein Erblinden.

II

Während er Weinbeeren
Aus dem Cognac fischt,
Spürt er langsam
Das Aroma der Liebesstunde Zeit
Am Gaumen vergehen.
Zwei Augen schmelzen vor ihm
Zu kleinen Stücken Eis,
Und ein Mund gegenüber verflüchtigt sich
Zum Geschmack einer schwarzen Kirsche.
Hinter ihm in der flüssigen Luft
Vereinigen sich die Geister,
Die er auf der Zunge hatte.
Da erhebt er sich und
Überläßt den Flaschenhals
Den Windhänden.
Später würde er vom Augenblick
Des zersprungenen Glases reden.

Ziemlich viel Glück

Ziemlich viel Glück
Gehört dazu,
Daß ein Körper auf der Luft
Zu schweben beginne
Mit Brust, Achsel und Knie,
Und auf dieser Luft
Einem anderen Körper begegne,
Wie er
Unterwegs.

Die Atmosphäre macht
Zwei innige Torsen aus ihnen.
Unbemerkt beschreibt ihr Entzücken
Zärtliche Linien in Baumkronen.
Eine ganze Zeit noch
Ist ihr Flüstern zu vernehmen,
Und wie sie einander
Das schenken,
Was leicht an ihnen ist.

Glücklichsein beginnt immer
Ein wenig über der Erde.

Aber niemand hat es beobachten können.

Die Stimme

Er ging ihrer Stimme nach.
Der Abend stieg wie Wasser
Und überschwemmte seine Augen.
Aber er ging ihrer Stimme nach.
Die Nacht war leicht wie Bluthänflingsbalg.
Er wog sie auf der Fläche seiner Hand
Und ging ihrer Stimme nach.
Als er schließlich wußte,
Daß sie unter toten Federn begraben war,
Redeten seine Finger
Noch einmal mit ihr
Und schufen ihr Singvogel-Echo
Für die Weile Erinnerung,
Die als Gesicht über schwarzen Dickichten
Vergeht.

Die Einsamkeit

je suis l'autre.
Gérard de Nerval

I

Jener träumerische Mann mittleren Alters:
Er läßt seine Hand aus dem Fenster fallen
Wie ein Staubtuch.
Er trennte sich leicht von ihr.
Ohne Staunen lächelt er ihr nach
In ein von Ameisensäure geätztes Blau
Und zeigt die schadhaften Zähne.
Er ist gern allein
Mit den Gliedmaßen, die ihm blieben.
Seine schmalen Gelenke
Gehorchen ihm noch eine Weile,
Wie er so in den Himmel hinein lauscht,
Während sich unten die
Junge Frau mit Schürze
Über jeden einzelnen
Der nun selbständig gewordenen Finger beugt
Und sie langsam küßt.

II

Es ging ein stilles Leuchten
Von ihm aus.
Das machte die Glühbirne,
Die er im Munde trug.
Immer in der Dämmerung
Wiesen ihre zarten Fäden
Den Leuten den Weg,
Die an seiner Wohnung vorüber kamen,
Obwohl er doch mehrere Treppen hoch wohnte.

Seine Hoffnung war, bemerkt zu werden,
Wie er in seinem Zimmer auf und ab ging,
Das Dunkel erhellte
Und die unbestimmte Sehnsucht nach Geselligkeit
Zwischen Gaumen und Zunge spürte.

Eines Nachts antwortete
In einiger Entfernung
Eine andere Glühbirne.
Er leistete keinen Widerstand.
Die lautlose Konkurrenz
Kam zu unerwartet.
Seitdem fällt schirmlos
Elektrisches Licht von der Decke:
Gespenstische Dusche, die einen Toten badet!

III

Den einen Nachbar läßt er
Mit seiner Kindheit spielen,
Den zweiten mit den leeren Bierflaschen,
Die sich ansammelten.
Er kennt sie beide nicht weiter;
Doch möchte er sie gern
An etwas beteiligen, das ihm gehört,
Wenn sie ihn dafür zuweilen grüßen
Morgens auf dem Wege zur Arbeit,
Abends auf dem Wege von der Arbeit.
Er verschenkt seine Vergangenheit,
Jahr um Jahr,
Und verbringt die Gegenwart
Still mit Würfeln und im Harren darauf,
Daß sich alles ändere,
Während eine goldene Flamme
Aus dem Bündel trockenen Geißblatts hüpft,
Das sich vor seiner Tür
Selbst entzündete.

IV

Dieser Steckbrief,
Der sich aufrecht bewegt
Und seine Freiheit genießt,
Der unter Bäumen
Mit seiner willigen Angst
Die Mahlzeit teilt:
Braten, Früchte, eine Spirituose –

Er braucht nun nicht mehr
Allein zu sein.
Er hat eine schwarze Braut um sich,
Die sich allerhand von ihm bieten läßt.

Sie löst gemeinsam mit ihm
Die Karte für den geisterhaften Abendzug,
Eine willige Gefährtin,
Mit der man tagsüber
Unter Bäumen die Mahlzeiten teilt.

Natürlich weiß er,
Daß die Nacht das blaue Rasiermesser ist,
Mit dem sie ihm,
Ohne Umstände zu machen,
Das Haupt vom Rumpf trennt.

Die Erscheinung

Ihr Gesicht ist leicht
Wie die Silbermünzen des Flusses.
Es ist sehr fern.
Er muß einen Stuhl besteigen,
Um es in der Luft zu sehen,
Die mit geschlossenen Lippen
Über der Straße liegt.

Eine Leiter lehnt er
An das glühende Kleid des Augenblicks.
Eine schwarze Tulpe hat er
Für ihr Gesicht gepflückt.
Doch die Blume
Entblättert ihm im Steigen
Zum schwarzen Vogel,
Der alles verdunkelt.
Im Fallen gewahrt er
Das gesichtslose,
Das lautlose Gespenst:
Die Zeit nach seinem Tode!

Man sagt zwei ...

Man sagt zwei,
Und denkt dabei an das Glück:
Zwei Menschen.
Und der eine kann dem anderen
Doch nicht vom Email des Augapfels abgeben.
Aber es leuchten
Reinetten aus dem Laube.

Man sagt zwei,
Und denkt an zwei, die einander
Gegenüberstehen als Feinde.
Keine Lyrik mehr, aber Messer,
Die das Ihre tun.
Durchgeladene Revolver.
Aber es leuchten
Reinetten aus dem Laube.

Man sagt zwei.
Zwei Brüste, zwei Wunden
Leuchten mit den Reinetten
Aus dem Laube.

Jeder Morgen

Jeder Morgen glaubt an Gott.
Blaue Fische schweben vor seinen Augen,
Und die Schatten von Armen und Schenkeln
Sind kräftig.
Die Stille überfällt eine Wildtaube,
Die zu singen beginnt.
Die Frauen legen die Betten aus,
Unter denen sie während der Nacht allein waren.
Die im Dunkel abgebrannten Zündhölzer
Werden fortgetan.
Der Nacken der Luft leuchtet.
Einen Augenblick lang
Möchte jeder seine Hand
Auf ihm ruhen lassen.
In den Straßen erzählt man,
Daß den Körpern ihr Alter genommen werde.

Jemand

I

Jemand hat Licht brennen lassen

Jemand hat Licht brennen lassen
In der Wohnung, die ich früher
Besaß.
Jemand lacht in meiner Wohnung.
Oder ist es ein Weinen,
Das sich hinter kaltem Rauch
Von Zigaretten verkleidet?
Jemand hat hier geliebt
Bei Tabak und Resten
Vorjähriger Nelken.
Das Blumenwasser
Leuchtet noch blau.
Jemand hat hier einsame Mahlzeiten
Eingenommen bei Geraune
Aus der Luft.
Die Zeit hat hier jemanden erstickt,
Ehe er das Licht in den Zimmern
Löschen konnte.

II

Der Augenblick des Fensters

Jemand schüttet Licht
Aus dem Fenster.
Die Rosen der Luft
Blühen auf,
Und in der Straße
Heben die Kinder beim Spiel

Die Augen.
Tauben naschen
Von seiner Süße.
Die Mädchen werden schön
Und die Männer sanft
Von diesem Licht.
Aber ehe es ihnen die anderen sagen,
Ist das Fenster von jemandem
Wieder geschlossen worden.

Unterhaltung

Zwischen Daumen und Zeigefinger
Halten sie still ihre Wassergläser.
Hin und wieder
Setzen sie sie an den Mund,
Während die kleinen Feuer
Ihrer Zigaretten sterben.
Sie haben sich viel zu sagen.
Deshalb sind die Bewegungen
Ihrer Beine unter dem Tisch unruhig.
Nervös scharren sie
Mit den Schuhen.
Aber überm Tisch zwingen sie sich
Zu Anstand und Ruhe.
Es gelingt ihnen gut,
Die Wassergläser nach einiger Zeit
In die Luft zu stellen
Und dort schweben zu lassen.

Unterdessen bilden sie Sätze,
Die nur unterhalb des Herzens
Verständlich sind.

Sommerlicher Weg

Sommerlicher Weg: Guano,
Scharfer Staub der Luft, der sticht!
Grünes Lid der Hitze blinzelt
Über feuchtem Augenlicht.

Zuckt erschrocken. Altes Silber
Ist der Fisch des Himmels nun.
Unter seiner leichten Schuppe
Glüht die Ulme, gluckst das Huhn,

Gleiten zwischen dichten Blättern
Leiber flüssig in die Nacht.
Pfauenschrei erregt die Geister,
Von der Schattenzeit erdacht.

Wenn es Abend wird

Oh Nacht! Herde sehnsüchtiger Frauenblicke ...
Apollinaire

Wenn es Abend wird,
Gilt es, keine Zeit zu versäumen.
Schon singt man in der Ferne;
Und die Taxis rutschen
Im Regen der Dämmerung.
Ein heller Körper steht auf der Luft
Mit unaussprechlichen Augen
Und den Gebärden der späten Stunde,
Wenn es Abend wird.

Wenn es Abend wird,
Muß man es eilig haben und
Die Karaffe Wasser und eine Büchse mit Fischen
Wie die Hand vergessen,
Die sie eben hinaustrug.
Schon erkalten auf den Mauern
Die Namen des Nachmittags.
Das Dunkel ist analphabetisch.
Es kommt mit Stimmen,
Wenn es Abend wird.

Wenn es Abend wird,
Muß man rasch handeln.
Schon beginnt der melancholische Streit
Der Augenpaare an den Tischen,
Und die Liebe zerfällt wie ein Mineral
Zwischen den Fingern.
Jemand geht mit dem Teller sammeln
Für die Träume,
Die allein noch einander gefallen,
Wenn es Abend wird.

Und die frigide Nacht kommt
Mit der Einsamkeit ihrer Minuten . . .

Für Celine,
vor Zeiten gestorben

Engesohde, Hannover

I

Deine Hand aus dem Grase,
Dein Gesicht grüner Rauch!
Und es schwebt eine Vase
Alten Dufts auf dich zu.

Ein Atemzug Süße.
Ohne Schatten dein Grab.
Und die Spur deiner Füße
Steht im Wasser der Luft.

Deine Augen, Celine:
Blauer Tau überm Laub,
Der die Flügel der Biene
Mit Vergänglichkeit netzt.

Seit wie lange gestorben,
Mund, von Hölty erdacht:
Nun von Grillen umworben
Unterm zierlichen Licht.

Zwanzigjährig Betörte
Von der Stimme aus Glas:
Cimarosa erhörte
Dein Geflüster bei Nacht.

Deine Wimpern aus Asche
Schlagen leicht überm Staub,
Wenn durch Rasen die rasche
Vergessenheit dringt.

Und, Celine, erfunden
Von den Geistern für mich:
Heißes Leben, sekunden-
Lang jung ohne Tod! ...

II

Die Singdrosselkehle,
In die du geschlüpft,
Steht überm Geschwele
Des trockenen Laubs.

Es spricht mit den Tauben
Der Mittag. Gib acht!
Er wird dir nicht rauben
Die Nelke, die weht,

Die reifenden Nüsse,
Den wandernden Strich
Des Schattens und Küsse,
Celine, aus Gras!

Im Blau beieinander,
Im Vorhang aus Wind,
Sind Hero, Leander
Verzückt und dir nah.

Du zeigst dich inmitten
Der Münze der Luft
Mit Gliedern, geschnitten
Zerbrechlich ins Grün:

Ein Bildnis, das zwischen
Den Fingern verrinnt
Und schwebenden Fischen
Im Blätterlicht gleicht.

Ein heißer Tag

Im Fluß umarmen sich die Spiegelbilder
Der Liebenden.
Der Mittag hat Achseln
Aus feuchten Schwertlilienblättern.
Man sagt: ein heißer Tag.
Oder: der Wind geht
Dem Duft der Lavendelstauden nach
Wie ein Mann einer Frau.
Einer hält seine linke Hand
Vor die Augen.
Der Nachmittag bürgt
Für das Gleichgewicht der Welt.
Abends öffnen sich
Die Blusen der Mädchen
Von selber.

Spaziergang

Jemand geht in der Dämmerung spazieren
Und singt.

Der Wolf aus der Fabel
Ist auf der Flucht.

Die Schlehendickichte
Schweben vor ihm her.
Der Mann im Mond
Fährt aus gelbem Stroh auf,
Wenn jemand vorübergeht.

Die Windhand reibt
Die Haselnüsse,
Wenn das Dunkel es
Mit jemandem gut meint.

Jemand nimmt die Nacht
Auf die Schultern,
Gibt der Liebe ihre Namen,
Und die Hände der Toten
Beginnen sich noch im Staube
Zu rühren.

Jedesmal

Jedesmal nachts
Wachsen die Spitzen seiner Finger
Ein wenig
Und mit ihnen das Gefühl
Für den Widerstand,
Den ihnen das Dunkel entgegensetzt,
Solange sie an der Zimmerwand
Nach den feuchten Poren des Steins suchen.

Aber sie verirren sich doch schließlich
Immer nur auf der gleichen,
Mondlosen Fläche:
Seinem Gesicht, das bewußtlos
Durch die Kammer schwebt
Und nicht weiß, wie sehr
Es Schrecken verbreitet,
Wenn sich in der Stille zwei Daumenkuppen
Unversehens auf ihm berühren.

Die Erinnerung

Die Erinnerung ist eine weibliche Statue.
Er liebt sie auf eine willenlose
Und einfältige Weise
Und nimmt um sich nur noch
Eine Zeit ohne Datum wahr,
Stunden für Hänflinge und bröckelnde Steine.

Die Erinnerung ist eine weibliche Statue.
Er deklamiert leise
Nacken und Brust und hat Augen
Für ihren blauen, schwindenden Umriß.
Die poröse Materie,
Aus der sie gebildet,
Nimmt wie Mond ab.
Sein Umgang mit ihr
Ist ohne Dauer
Wie der Augenblick,
Für den ein Frauenbein
Auf der Schulter des Mannes ruht.

Tausend Jahre

Tausend Jahre
Mein Gesicht,
Wenn es bei deinem ist.
Tausend Jahre die Dahlie,
Die ich für deine Augen kaufte.

So lange Zeit, zu warten,
Seine Lippen zu verschließen
Und andere sterben zu sehen!

So alt die Zärtlichkeit,
Wenn nur noch dein Nacken gilt,
Das blaue Wasser Luft, in dem er
Badet!

In der Nacht
Legen sich unsere Hände zusammen
Und schlafen tausend Jahre.
Bis dich jemand bei dem Namen ruft,
Der einmal dein war,
Ehe er mit mir altern wollte . . .

Scharade

Flußarm und Baumleib: Scharade,
Die leicht man zusammensetzt
Wie hüpfende Brüste im Bade
Des Himmels, Zitronen aus Licht.

Die schwarzen Früchte im Korbe
Nacht mit dem flüssigen Mund
Vergingen zum Schlag der Theorbe
Bei arithmetischem Ton.

Das willige Rätsel Wärme
Mit maurischem Weiß im Haar: –
Vom Mittag der Taubenschwärme
Als schnelle Gleichung gelöst,

Gelöst von Lippen, die raunen
Das Alpha des Laubes, erfüllt
Vom leisen Rascheln der braunen
Und grauen Wimpern der Zeit!

Liebeslied im Sommer

Blonde Sommerfrisuren
Gehen auf Straßen spazieren,
Und aus den Häusernischen
Tritt das Blau und wird schön.

Aber die feinen Linien
Des Zweifels in Händen und Herzen
Mischen sich in die Spiele
Der Juni-Phantasie.

Niemand wird Flieder tragen
In die schwankenden Zimmer.
Niemand wird Nachtigallen
Halten, wenn sein Gefühl

Sterblich ist in der Stille.
Und von Balkonen lehnen
Sich nicht die Augen von einst,
Nicht mehr die werbenden Stimmen.

Figaro, Ariel sind
Ausgewandert inzwischen,
Halten an Orten sich auf,
Die keine Nautik erreicht.

Blonde Sommerfrisuren
Gehen auf Straßen spazieren.
Aber die Liebe zog fort
In Körpern aus Schweigen und Glas.

Begegnung auf der Straße

Der Mann, der sich gemächlich dort
Auf seinen Händen vorwärts bewegt
(Der Blutandrang ist in seinem Gesicht
Von weitem deutlich erkennbar),
Ist mein Freund.
Er nutzt die schöne Jahreszeit
Zu seinen Spaziergängen.
Wenn wir uns auf der Straße begegnen,
Hält er immer zuerst inne.
Während des Gesprächs
Muß ich sein Taschenmesser halten,
Das er sonst zwischen den Zähnen trägt.
Er ist nämlich ängstlich und fürchtet
Einen Überfall auf seine Beine, die
Sich sicher in der Luft bewegen.
Um uns liegt der Augenblick
Unpräpariert da.
Die Kunstpostkarte Sommer
Hat Syringenfarbe, solange wir
Leise aufeinander einreden,
Bis wir dann unseren Weg fortsetzen,
Und ich noch einige Zeit lang
Im Rücken die Spitze
Der Taschenmesser-Klinge spüre,
Die ich ihm beim Abschied
Wieder zwischen seine Zähne legen mußte.

Ungeduld

Nachdem ihm seine Geduld
Lange genug auf die Probe gestellt schien,
Ging er daran,
In seinem Leben einige Veränderungen
Mit Hilfe der Phantasie vorzunehmen.
Er lauerte am Wege
Passanten auf und schnitt
Ihre Bilder in die hilfreiche Luft.

Auf diese Weise
Setzte er sich in den Besitz
Der Nackenlinie eines Mädchens
Und des unvermuteten Lachens
Einer etwa gleichaltrigen Frau.
Mit diesen Besitztümern
Glaubte er, es noch ein wenig auszuhalten.
Bis ihn die Lust an Veränderungen
Auf andere Gedanken brachte.

Zur Zeit hat sich ihm
Eine erfundene Geliebte zugesellt,
Die ihr schwarzes Haar
Durch seine Stunden regnen läßt.
Doch ist sie immer traurig darüber,
Daß seine Ungeduld danach trachtet,
Weiter am Wege
Passanten aufzulauern.

Lange genug

Für Fritz Usinger

Lange genug
Hat meine rechte Hand
Ihre Pflicht getan.
Ich habe sie kürzlich
Einer fremden Frau mit Pony-Frisur
Ins Marktnetz zu Kraut und Fischen gegeben.
Meine linke Hand
Ruhte lange genug
Im Schlaf an meinem Gesicht.
An einen Kinderballon gebunden,
Trug sie nun der Wind davon.
Noch manches andere
Werde ich ablegen,
Wie man abends seine Kleider ablegt:
Zuletzt die Zärtlichkeiten der Luft
Für das, was übrig bleibt,
Wenn alles verschenkt ist.

Medaillon

Ziehe aus allen Rosen
Unauffällig die Summe.
Sie überwintern ratlos
Im Schatten der alten Gefühle.

Melancholie der Bukette!
Selten erhebt sich noch Nachtwind
Zwischen den Augenpaaren,
Die sich im Dunkel bekämpfen.

Aber zuweilen entdeckt man
Den Abdruck von Lippen auf Mörtel,
Ehe er sich von der Mauer
Löst und verdirbt unterm Schuh.

Manchmal geht Eine vorüber,
Ohne zu zaubern. Die Formel
Für die vergessenen Rosen
Wartet auf sie schon im Wind.

Eine wie du. Die mit Kreide
Gezogenen Herzen der Sage
Beginnen noch einmal zu schlagen,
Leuchten auf an der Wand.

1956

Sommerlich

Das Zündholzlicht
Des Monds verging
Im Tag, der dicht
In Ulmen hing.

Der Morgen sprüht
Auf helle Haut
Sein Glück und glüht
Im Vogellaut.

Kein Schatten schwebt
Um Schenkel, Arm.
Der Mittag bebt
Im Heudunst warm.

Zerblitzt die Zeit
Zu Immer, Nie,
Schmilzt hin das Leid,
Geometrie

Des alten Blaus
Zerlegt das Licht
Auf Sommerhaus
Und Angesicht.

Bild im Hochsommer

Goldmünze Mittag,
Zu Weizengarben
Und Sicheln geworfen,
Mit Hitzenarben!

Die blinkende Scheibe,
Vom Alter gezeichnet,
Vom Tauberschnabel,
Wenn nichts sich ereignet

Als grünes Duften
Von schwitzenden Schoten,
Im Mauerreste
Mit ziegelroten

Augen der Sommer
Mählich verwittert
Und Licht auf den Feldern
Sich farbig gittert.

Schwerkraft der Zeiten

Die Schwerkraft der Zeiten
Im Schnitt des Gesichtes!
Das Blau legt auf Lippen
Patiencen des Lichtes.

Die heuschreckenleichte
Unordnung des Laubes
Auf Kleidern, die wehen
Im Atem des Staubes.

Es gehen und kommen
Minuten, die schweben,
Ein Rudel Delphine,
Vergängliches Leben!

Der Augenblick drängt sich
In leichte Profile,
In Augen, die kämpfen
Um Schatten zum Spiele.

Das Frühjahr

Kinder werfen
Auf den Straßen
Den Ball nach dem Tagmond.
Jedes Jahr steigen
Neue Singvögel
Aus ihren Gesichtern in die
Wartende Luft.
April und Mai
Machen den halbwüchsigen Mädchen
Andere Augen.
Einige verbergen sie noch
Hinter ihren Händen.
Von den Bäumen wehen
Rosa Papierschlangen.
Wer sich mit ihnen behängt,
Ist zehnjährig.
Alle Hunde springen für ihn
Durch den Reifen,
Den er gegen das Licht hält.

März

Die Landschaft mit den weißen Wimpern
Verlor sich in Häusernischen.
Nur die ungesalzenen Fische
Im Ladenfenster
Riechen noch nach Schnee.
Morgen werden wir
Die Lerchen zu zählen beginnen.
Der Seidelbast vergiftet schon jetzt
Die Kammern mit Süßigkeit,
Und das Brennglas des jungen Mondes
Schwächt die Herzen.

Die Nacht kommt als Schlehenräuberin,
Der ihre Beute sicher ist.

Nachtstunden

Nachtstunden, die bis unter
Die Nagelmonde reichen! –
Sie lassen mir die Wahl,
Eine Straßenecke
Oder ein Liebespaar zu werden
Mit nach dem Goldenen Schnitt gezeichneten
Körpern.
Von linken oder rechten Händen
Gestreutes Laub verrät den Weg,
Den ich wählte.
Es raschelt noch, während ich
Einem Hinterhalt zum Opfer falle.

Auf verlorenem Posten

Ich habe die Vernunft
Nach ihm ausgeschickt,
Denn er steht
Auf verlorenem Posten.
Nachtigallen habe ich nach ihm
Aufsteigen lassen
Und ein Fenster in der Richtung geöffnet,
Aus der ich ihn vermute.
Seinen Namen habe ich
Ins Oval des Wassers geschrieben,
Das sich mit treibenden Lichtern
Auf die Suche macht.

Ich locke ihn mit Frauentorsen,
Die ich ihm in den Weg stelle.
Manchmal lasse ich nachts
Seine Stimme von denen wiederholen,
Die sich ihrer erinnern.

Doch er bleibt
Auf verlorenem Posten.
Seine beharrliche Muse
Hat ihren schwarzen Scheitel
Auf seine Augen fallen lassen.

Ich werde ihn aufgeben müssen,
Denn er achtet nur
Auf das Standrecht,
Das sie über ihn verhängte.

Jeden Augenblick
Kann er tot sein! . . .

Handstreiche der Dämmerung

Handstreiche der Dämmerung: –
Die Radler verirren sich
Im blauen Staub des Himmels
Und kommen zu Fall.
Der Nachmittag erscheint noch einmal
Als Film auf heißen Ziegelwänden.
Passanten schütteln den Kopf
Und bekennen seinen Abschied.
Das Zwielicht macht aus einer
Entblößten Brust im Hauseingang
Ein schwarzes Idyll.
Eine rasche Bewegung zerstört es,
Während die Schatten der Abendkleider
Vorüberhuschen.

Nun kann die Nacht kommen
Und die Bilderrätsel lösen!

Auf dem Lande

Die Hunde verbellen
Die Karpfen im Teich.
Doch die Stunde der Statuen
Mit gebrochenem Nasenbein
Ist beständiger.
In ihrem Schatten
Werden Mann und Mädchen
Zu *einem* Wesen.
Aus dem Gebüsch
Blitzt die Klinge des Jagdmessers.

Aber die Stille
Ist nicht zu verwunden.
Kein Libellenflügel
Wird getroffen.

Es schützt sie die Liebe,
Die im Teich die Karpfen
Überleben werden.

Trockenheit

Dann begannen sich
Den zu Frauen herangewachsenen Mädchen
Die Augen zu trüben.
Die Jahreszeit fiel den Fliegen
Zur Beute.
Die erhitzte Luft
Würgte die Haustiere im Schlaf.
Die Statuen waren
Am Ziel ihrer Wünsche:
Sie fingen zu sprechen an,
Wenn jemand vorbei kam.
Manche zählten an den Fingern
Die Tage auf, an denen es
Nicht geregnet hatte.
Der Wind saß seit langem
Als Schlange im Laub
Und zerbiß die Früchte.
Die Liebe spielte nur noch
Mit den ganz jungen Leuten
Im Fluß.
Die Erde war ihr sonst
Zu beschwerlich geworden.

Vor dem Regen

Die Kreidestriche auf dem Asphalt
Warten auf den Regen.
Aber noch entblößt der Tag
Seine leuchtende Schulter.
Die Zeit vergeht
Grün und heidnisch.
Tibulls Sulpicia
Zeigt sich minutenlang
In der Ahorn-Allee,
Während die Sommer-Stunde
Wie eine Zikade
In heißen Steinen sitzt.

Ein Arm weist in die Luft.
Da verfärbt sie sich zur Wolke.
Das Geräusch der ersten Tropfen
Erstickt überall
Die Erinnerungen des Laubes.

Einöde

Die Wellblech-Baracken
Werden vom Geruch
Heißer Stauden umarmt.
Rauchen verboten!
Und der Aufenthalt in der feindlichen Luft
Greift an die Kehlen.
Draußen beginnt die Ferne
Nach ein paar Schritten
In der Sonne.

Das Handgemenge zweier Schatten
Endet in der Stille.
Nur der Traum vom Wasser bleibt
Und das Bild eines Mannes,
Der am Horizont von seinem Gewicht
Zu Boden gezogen wird.

Die Zeit veränderte sich

Es gibt niemanden mehr,
Der die Denkmäler der Zärtlichkeit
Mit blauer Farbe anstreicht.
Die Liebkosungen blonder Frisuren
Und Strohhüte sind vergessen.
Die Kinder, die den ermüdeten Singvögeln
Im Park ihre Schulter hinhielten,
Wuchsen heran.

Die Zeit veränderte sich.

Sie wird nicht mehr von jungen Händen
Gestreichelt.
Die Lampen tragen nun andere Glühbirnen.
Die Tennisbälle kehrten aus dem Himmel
Nicht wieder zurück.
Die gelben Badeanzüge
Sind den Schmetterlingstod gestorben;
Und alle Briefumschläge
Zerfielen zu sanftem Staub.

Aber dafür sind die Straßen voller Fremder
Mit Fahrkarten in den Taschen!

Die Mythologien der Mauer

Die Mythologien der Mauer,
Von Achtjährigen entworfen
Oder von den Händen der schwarzen Minuten!

Wir gehen vorbei und grüßen
Unsere Gedanken.

Unsere Frauen erscheinen
Im gebrannten Ziegel.

Unsere Träume an der Wand
Sind älter als wir.
Das sterbende Weiß des Kalks
Trägt sie auf der Haut.

Wir gehen vorbei.
Und mancher wendet sich ab,
Während ihm im Rücken
Die Mauer schon von Mond und Hunden
Tätowiert wird.

In der Fremde

Immer winziger der Schatten,
Den er in der Fremde warf,
Die Spur in der Sonne,
Die er zurückließ.
Überall Horizont,
An den er sich verlor.

Bevor er sich aufmachte, hatte er
Seine Rechte und seine Linke
Denen versprochen,
Die mit ihm Tür an Tür wohnten.
Aber das, woran er sein Herz hing,
Hatte er aufbewahrt für unterwegs,
Um es der Muse der Windstille
Zu geben,
Die seinen Körper
Vor dem Tode schon
Mit Vergessenheit beschenkt hatte.

Gesang vor der Tür

Vor der Tür singt einer.
Doch niemand öffnet.
Einen Steinwurf weit beginnen
Die Blumen zu welken.
Keine Münze klirrt.
In der Nähe sammeln sich Schatten
In Häuserecken.
Kein Handschuh fällt zu Boden.
Aber der Himmel ist inzwischen
Finster geworden,
Und der vergoldete Feldherr im Park
Stürzte sich in sein Schwert.
Vor der geschlossenen Türe
Die Stimme zerstört die Zeit.
Marodeure zünden an ihrem Grabe
Ein Feuer an.

Erst der Jüngste Tag
Wird vor der Tür den Gesang
Zum Schweigen bringen.

Heute noch

Heute kann ich dich ruhig
Schlafen gehen lassen,
Während ich mit einigen Männern
Noch eine Weile in der Straße
Den Mond betrachte.
Langsam wird er sich
Vor unseren Augen verändern,
Da der Zyklon sich nähert.

Wenn es mir gelänge,
Die Hunde zu überhören,
Die sich in der Ferne
Um die ersten Toten zanken!
Ihr Gebell hat schon das heisere Metall,
Das auch in unseren Stimmen sein wird,
Morgen,
Wenn die verbrannten Gesichter
Aus den Fenstern hängen
Und die blauen Silben des Wassers
Zu roten Buchstaben zerfallen.

Anblick einer Landschaft

Die gestorbenen Zentifolien
Blühen am Himmel als Profile
Neunzehnjähriger Mädchen.

Die Landschaft darunter
Mit Schattenwimpern
Lehnt sich an den Westwind.

Jemand angelt Karpfen
Zwischen schweigsamen
Wasserpflanzen.

Die Luft ist ein türkischer Teppich,
Auf dem sich hinter die Schwermut
Reisen läßt.

Marine

Der Ventilator
Sollte nie abgeschaltet werden.
Während der heißen Stunden
Schläft die Bordkatze
Zwischen leeren Mineralwasserflaschen.

Alle Küsten sind
In Rauch aufgegangen.
Die blaue Membrane des Himmels
Dehnt sich. Sie wird
Zerreißen, ehe man sich
Im Schlafanzug vom Liegestuhl erhebt.

Die Brandwunden des lateinischen Wermuts
Heilten auch heute nicht aus.
Der Kapitän ist eine Erfindung derer,
Die vor uns das Schiff verließen.

Gestern nacht noch war sein Gesicht
Vom Kompaß beleuchtet,
Dessen Nadel schon geschwächt ist
Vom nahen Orkan, den man zu melden vergaß.

Bootsfahrt

Die Ausstrahlungen des Wassers
Lähmen die Armmuskeln.
Doch die Hand läßt das Ruder
Nicht los.
Das lange Frauenhaar der Flut
Treibt dem Abend zu.

Aus den Gärten am Ufer
Winken sie.
Man kann von dort beobachten,
Wie ein elektrisches Indigoblau
Dem Fluß entsteigt.

Hinten im Boot sitzt jemand
Mit einem großen, toten Fisch
Auf den Knien.

Die Fahrt geht weiter,
Der von Liebesmitteln betäubten Nacht
Entgegen.

Die Dämmerung

Die Dämmerung ist ein weibliches Wesen.
Darum lehren manche die Kinder frühzeitig,
Sich vor ihr zu fürchten.
Andere weisen mit Fingern auf sie,
Wenn sie sich mit entblößter Achsel
Zeigt.

Die Barsche springen nach ihr
Aus dem Fluß,
Und an den Leimruten die Singvögel
Versuchen noch einmal vom Tode
Freizukommen, wenn sie sich nähert.
Erstes Lampenlicht fällt
Zwischen ihre Brüste.
Die Ladenmädchen verirren sich
Vor ihren Augen,
Während ihr Mund den Nachmittagswind
Schwächt.

Auf einem Lager von schwarzen Blättern
Erwarten beide die Nacht.

Nachtbeginn

Die Nacht mit dem schwarzen Pony-Schnitt
Sieht mir in die Augen.
Der Fluß badete sie
Eine Dämmerung lang.
Sie zeigte sich ihm,
Wie sie geschaffen war.
Dann kam sie
Mit leichten Schritten durch die Luft,
Und ihre Augen
Begegneten den meinen.
Die Minuten glichen Zikaden
Mit zartem Schenkel.

Ich werde meine Blicke
Senken müssen.

Die Bildsäule

Die männliche Bildsäule im Laub
Ist über Nacht umgestürzt.
Auf ihrer Brust liest man
Die Namen von drüben.
Die Zeichen bedeuten nichts Gutes.

Seither sind aus den Bäumen
Gewehrmündungen auf sie gerichtet.
Jeder erwartet,
Daß etwas geschehe.
Aber der Mann in der Statue
Zog fort. Bald wird
Niemand mehr von seiner Stärke wissen.
Die Scharfschützen werden
Ihre Posten verlassen
Und nur die Frauen abends
Vor dem Schlafengehen
Ihre Fenster verhängen . . .

Kampf um Mittag

Am Himmel kämpfen zwei Reiter.
Ihre gebogenen Säbel
Kreuzen sich im Blau.
Die Landschaft unter ihnen
Begleitet das Gefecht mit Pappeln
Und Augenpaaren, die
Aus goldenen Gebüschen lugen.
Alles wartet darauf,
Daß einer stürze.

Doch der Kampf währt nur,
Bis das Ein-Uhr-Licht vom Zwei-Uhr-Licht
Ins blühende Dickicht gezwungen ist.
Unerwartet vergehen Männer und Pferde
Zu Schatten, die sich
Vor die Sonne legen.
Der Mittag ist vorüber.

Der treulose Fluß

Der Geruch von Süßwasser
Ist noch im Unterholz,
Wenn auch der Fluß
Seit einiger Zeit
Die Richtung wechselte.
Die Umrisse der Badenden
Haben sich zwischen den Bäumen erhalten.
Doch die Strömung suchte
Ein anderes Bett.
Am Ufer kann hier niemand mehr
Schach mit dem Licht spielen,
Und der Geschmack
Von heißem Wellblech und Zärtlichkeit
Hat sich auf der Zunge verloren.
Der Fluß zog ihn nach sich
Wie die Fische und Ruderboote.

Aber Beerensammler fanden
Undine tot unter Blättern.

Urlaub

Kann man die Soldaten
Hechte in Wassergräben
Mit zerrissenen Briefen füttern lassen?

Sie sollten die Mauer bewachen,
An der jemand einen blutigen Handschuh
Hinabläßt.
Sie sollten auf Fenster achten,
Aus denen schwarze Fahnen wachsen.

Aber sie werden in der Sonne
Bier verschütten
Und ihren Mädchen das Weiße im Auge
Zeigen,
Während Straßenbahnen voller Nachtigallen
Ins Dunkel fahren,
Das sich hinter jedem Fliedergebüsch auftut
Und kopflos macht.

In der Sonne

In der Sonne gelten nur
Die Grammophone der jungen Leute
Unter den Bäumen
Oder der sanftere Lärm
Der Insekten.
Man verständigt sich rasch
Durch ein Wimpernsenken;
Denn die Algebra der Gefühle
Wurde einfach.

Jeder lernt sie
Wie einen neuen Vornamen;
Und es legt niemand Leitern
An die Straßenlaternen,
Die man morgens zu löschen
Vergaß.

Es lohnt nicht,
Sich zu erinnern,
Daß einmal Nacht war!

Kurze Nächte

Die Lampionverkäufer
Haben wenig zu tun.
Keiner will ihre leuchtende Ware,
Da die Nächte kurz sind.
Nur die Liebespaare
Mögen sich in ihnen
Noch verstecken.
Sie halten einander wie sonst
Ihre Nähe hin,
Und der Sprosser besingt
Die Einsamkeit der Pflanzen.
Auch ist manchmal im Fluß
Das Geräusch zu hören,
Das ein Badender macht.
Aber Melusine
Trug vor Zeiten schon
Die Strömung fort.

Kurz sind die Nächte.
Der Anbruch des Morgens
Wird unwiderstehlich sein!

Das Schweigen

Ehe der letzte Gast
Das Café verläßt,
Umarmt er stumm die Frau
Auf dem alten Foto
Im Hauseingang.

Der Mittag, die Morgue der Pflanzen,
Bricht lautlos von draußen herein.
Er faßt nach den Brüsten, die sich
Wie das Lichtbild
Vergeblich wehren.

Das Schweigen fällt mit Spinnen
Über die Tische her.
Den Reisenden zeigt es
Den falschen Weg, so daß sie
Sich im Licht verirren.

Ihre vom Sommer entblößten Körper
Hängen tot
Im Schatten eines Walnußbaums.

Promenade

Möbel sind zwischen die Platanen
Gerückt,
Damit die Spaziergänger
Sich setzen können.
Schon *ein* Stuhl
Macht eine Landschaft wohnlich!

An den Straßenrändern
Beobachten Gipsbüsten
Den Verfall des Vormittags.
Doch die Promenade
Lebt noch eine Zeit lang
In Hüten weiter und Augenpaaren,
Die hinter Gardinen lauern.
Bald wird der Klavierspieler schweigen.
Seine Musik verträgt nicht
Die Hitze des Mittags,
Der sich als blauer Akt
Auf dem Asphalt zeigt.

Ein Uhr mittags

Das Licht fällt nicht umsonst
Senkrecht.
Wer die Augen schließt,
Sieht blaue Sensen am Himmel.
Ein Uhr mittags. Die Blumen
Hängen mit gebrochenem Genick
In der Windstille.
Aus dem Steinbruch kommen Pfiffe.
Sie gelten einer Flasche Bier
Oder einem Hund, der sich verlief.
In den Heuschobern
Rascheln Mäuse
Und weibliche Schenkel.

Handbreiter Schatten
Verschwindet gleichzeitig
Mit dem letzten Laut,
Der zu hören ist.

Die Jagd

Lange suchten die Hornrufe
Einander hinter Pflanzendickichten.
Ihre Stimmen waren zu dünn
Für die unbewegliche Luft.

Aber das Wild war gewarnt.
Es zog in Rudeln nach oben
Und floh in den Waldhimmel.

Die Hunde zerbissen einander die Kehlen.
Die Flinten trafen die Wärme,
Die mit Blitzen zwischen den Fingern
Der Jagd auflauerte.

Der Horizont erwiderte ihren Tod
Mit fernem Gewitter.

Siegreiche Vegetation

Damals fiel auf,
Daß den Kindern ihr Spielzeug
Leid wurde.
Sie rauften Büschel wilder Narzissen.
Die Katzen
Stellten fremden Gewächsen nach.
Die Augenblicke unterschieden sich
Voneinander wie rote und weiße Geranien.
Das Leben verlor
Sein Selbstbewußtsein.
Es glich der Zartheit
Einer Hundepfote.

Die Vegetation siegte in Blättern,
Die unter die Blusen krochen.
Man verschenkte Sträuße
Unbekannter Blumen oder die Schatten
Alter Bäume.
Und die Schönheit verging
Hinter langen Wimpern.
Der Anblick der Pflanzen
Machte Brust und Hüfte
Überflüssig.

Vorbereitung einer Reise

Ehe man sein Hemd wechselt
Und das Gesicht des Kalenders verhängt,
Ist es gut, die Blumen
Aus den Vasen zu tun
Und durch abgelegte Handschuhe
Zu ersetzen.
Zehn Lederfinger winken einem nach
Aus dem Glas, wenn man
Seinen Mantel nimmt.

Die Trauer ist unbekleidet.
Sie tritt durch die Tür
Und läßt sich nicht
Durch ein Kopfnicken grüßen.
Aber Tisch und Stuhl
Bleiben nun unter sich.
Das Flüstern der Wände wird
Den Nachbarn nicht beunruhigen.
Die letzte Mahlzeit
Vergeht im Schweigen der Südfrüchte.

Abschied

Er nahm sich vor,
Darauf zu achten,
Daß nichts vergessen werde!
Künstliche Blumen für ihre Augen,
Schwarze Blumen für ihr Gedächtnis!
Er machte sich auf
Und zog den Hut,
Als es soweit war.
Ein Abschied ohne Verlegenheit
Und Taschentuch ist der beste.
Man darf sich nicht aufhalten,
Sonst ist zu befürchten,
Daß die künstlichen Blumen
Zu blühen beginnen
Und die schwarzen
Mit einem Duft betäuben,
Der alle Vorbereitungen
Zunichte macht.

Und alles begänne
Noch einmal! . . .

Cherubinische Landschaft

In der cherubinischen Landschaft
Wächst aus jeder Staude ein Mond.
Man legt einander
Die Hand auf den Mund
Und schließt das Auge
Des erdolchten Lamms.

Die Liebe ohne Blutandrang
Tut die Körper ins Bad
Des blauen Wetters.
Negermädchen verschenken ihr Schwarz
An die Wolken.
Die Fische geben ihre Seele
Dem Fluß.
Da steigt er an Land
Auf der Suche nach einem Leib,
Der leuchtet.

Veränderungen

Es hat keinen Zweck,
Lichter auf der Hand zu tragen.
Der Windstoß, der sie löscht,
Ist einleuchtender.
Die Barhäuptigen zählen
Im Mond die Minuten,
In denen ihre Antwort sinnvoll bleibt.
Da lächeln schon welche
Aus dem Dunkel.

Sicher ist jemand vorhanden,
Der die Goldenen Zeitalter
Auf den Nacken der Freundin schreibt.
Doch wird die Untreue
Nicht auf sich warten lassen,
Die sie an seiner Phantasie begeht.

So wird dafür gesorgt,
Daß die Veränderungen nicht zu langsam
Aufeinander folgen! . . .

Tote Jahreszeit

Es kam vor,
Daß die Ahnenbilder
Von der Wand fielen,
Weil es so still war.
Die Flasche Beaujolais
Vereinigte sich
Mit ein paar geplatzten Birnen
Zu einem Stilleben.

Es war die Stunde der Karpfen
Und der sterbenden Fliegen.

Der Nachmittag blinzelte
Unter schweren Augenlidern.
Doch waren die Geräusche der Herzen
Für eine Weile vernehmbar
Am Segelschiff-Teich der Knaben,
Die hier gestern ihre seemännischen Befehle
Erteilt hatten.

Vorgestern war ohnehin
Alles anders gewesen.
Die tote Jahreszeit
Lebte noch im sagenleichten Geruch
Des Grases.

Nun warteten am Boden
Die zerbrochenen Bilder darauf,
Daß jemand aus der Wand träte
Und sie unter Gelächter aufhöbe!

Die Gewalt

Sie kam aus ihrem Versteck
Und erweckte totes Metall zum Leben.
Die letzten Unterhändler
Streiften die Handschuhe über ihre Finger
Und gingen. Ihr Lächeln
Zahlt sich in keiner Münze mehr aus.

Sie kam aus ihrem Versteck.
Der Erdstrich, auf den ihr Blick fällt,
Ist verloren.
Die Türen springen auf.
Die Fenster zerbrechen.
In die Augen streut man
Asche und Mörtel.
Lippen schließen sich
Unter Faustschlägen.
Die unreine Nacht hält
Überfälle und schwarze Minuten bereit.
Bald werden die Herzen
Aufhören zu schlagen
Hinter dem Vorhang von Ruß.
Sie kam aus ihrem Versteck.
Sie wird Hand an uns legen.
Noch dürfen wir die Häuser verlassen
Und in den Glühbirnen-Himmel sehen.
Aber in den Vorstädten
Sind schon Spruchbänder gespannt.
Bald werden die Straßenkämpfe
Uns erreichen.
Bald werden wir allein sein
Mit den Gewehrmündungen.
Wer unter uns ist der erste,
Der an seinem Tische
Vornüber sinkt? . . .

Notiz durchs Fenster

Vom Straßenwind entkleidet:
Die Modelle morgendlicher Passanten!

Sie bedecken ihre Blöße
Mit roten und blauen Wimpeln.

Hinter Bäumen belauert
Ein Schädel mit Bürstenhaar
Die unsichtbare Zeit.
Sie fällt aus den Fäusten
Raufender Knaben.

Die Stunden mit welkem Laub im Nacken
Vergehen nicht anders
Als die Blutspuren im Asphalt, die
Vom letzten Zweikampf herrühren.

Was kann noch geschehen,
Das den Schmerz aufhält,
Den eine Drehorgel der anderen zufügt . . .?

Mühloses Leben

Die parkenden Autos
Werden zu Zitronenfaltern,
Die aus blühenden Gebüschen
Steigen.
Die Luft ist voll Krawatten
Von derselben Farbe.
Das macht: es ist heute schön

Draußen!
Vielleicht Mai oder Juni.
Keiner weiß das genau.
Die Jahreszeit ist wie Schulaufgaben
Vergessen.
Dafür sieht man Mädchen vorübergehn,
Die Mädchen geboren haben.
Alle tragen die gleichen Augen,
Über die man sich beugen möchte.
Doch kommt man immer
Von einer *anderen* Frau.

Mai oder Juni!
Das Leben ist
Mühelos geworden . . .

Zwischenfälle

Immer kommt etwas dazwischen.
Wer ein Hemd ablegt,
Muß drei weitere ausziehen,
Und ein Spaziergang
Zwischen zwei Ulmen
Endet im Dschungel.
Wer eine Frau ansieht,
Ist verloren,
Denn der Augenblick kommt,
In dem sie Rechenschaft
Von seinen Blicken fordert.
Auch die Metaphysik
Setzt die Herzen zunächst
Unauffällig in Erregung.

Das Staunen
Bereitet Unbegreifliches vor.
Die Zwischenfälle
Retten die Minuten
Vorm Tode.
Selbst ein Hanfseil
Läßt verschiedene Entscheidungen zu.

Die Freiheit

Sie flieht vorüber, in sich gekehrt.

Die Leute sagen, sie habe den bösen Blick.
Aber sie hörte in der Nacht
Das Gespräch mechanischer Waffen.
Sie sah gerade eben noch in der schneidenden Luft
Die Zeit als großen Vogel,
Der davonfliegt: – die Hoffnung.
Sie sah das alte Blut aus dem Boden steigen
Und sich mit neuem verbinden.

Sie flieht vorüber, in sich gekehrt.

Die Leute sagen, sie habe den bösen Blick.
Aber plötzlich waren aus den Hüften
Maschinenpistolen gewachsen.
Noch die Statuen hatten
Auf sie gefeuert.
In jedermanns Arme
War der Tod gelegt.

Sie flieht vorüber, in sich gekehrt.

An der Ecke wartet auf sie
Der schwarze Wegelagerer: –
Gewalt, mit unbiegsamem Metall
In den Fäusten!

Auf der Flucht

Das Streichholz zerfiel,
Das man seinem Gesicht näherte.
Er floh. Doch ließ er zu,
Daß wenigstens Zehen und Finger
Durch die Wand wuchsen,
Die ihn von anderen trennte.
Jeder durfte im Mörtel
Das Bild ergänzen,
Das er sich von ihm machte.

So erschien manchmal ein Eber,
Dem ein fremdes Insekt
Oder ein Vogel folgten.
Die Gestalten wechselten, in denen
Er sich auf der Mauer zeigte.
Nachts lag sein Flüstern
Auf dem Glas benachbarter Fenster.
Von fern beobachtete er die Wirkung
Auf die Träume der Mädchen.

Aber von ihm wird niemand mehr
Gewahren als die Spuren
Einzelner Glieder
Im lotrechten Weiß des Kalks.
Nach und nach verschwinden sie . . .

In meinem Zimmer

In meinem Zimmer die Wimpern
Der toten Stunden schlagen.
Aus ihren offenen Augen
Fällt Sand mir in das Haar.

Aus großen, schmerzlichen Pflanzen
In meinem Zimmer treten
Geduldige Tiere: – Minuten
Des alten Unglücks zu zwein.

Die Nacht mit den Mädchenhaaren
Lag nie in meinem Zimmer
In Schlaf gesunken vornüber,
Die Arme auf dem Tisch.

In meinem Zimmer die schwarzen
Wasser im Rücken steigen
Langsam wie Landschaften, die man
Bald schon allein bereist.

Alles ist vorbereitet
Für diese Reise. Die Bilder
Bewegen sich melancholisch
Im Abschied an der Wand.

Schon leben in meinem Zimmer
Die andern mit sinnlichen Stimmen,
Die Überlebenden, furchtlos
In fremder Vegetation.

1957

Wollen wir es nicht versuchen?

Wollen wir es nicht
Mit den anständigen Leuten versuchen?
Die Republik hat genügend verirrte Hände,
Die sich auf jemandes Schultern legen lassen
Oder über unseren Scheiteln
Zu vereinigen sind.
Vorläufig verlieren sich die Tage noch
Mit den zuvielen Banknoten.
Vorläufig ist die Ratlosigkeit noch
Den Verwandlungen der Cellulose
Beigegeben.
Der Himmel ist voll kalter Linien,
Die die Luft aufteilen.

Wollen wir es nicht
Mit den anständigen Leuten halten?
In unserem Land vergißt man so schnell
Die hingerichteten Augen.
Die getäuschten Herzen
Warten noch auf ihre Zeit.
Die auf der Straße vorbeigehen,
Werden sie bald schon
Wahrnehmen . . .

Historie

Männer trugen über den Platz eine Fahne.
Da brachen Centauren aus dem Gestrüpp
Und zertrampelten ihr Tuch
Und Geschichte konnte beginnen.
Melancholische Staaten
Zerfielen an Straßenecken.
Redner hielten sich
Mit Bulldoggen bereit,
Und die jüngeren Frauen
Schminkten sich für die Stärkeren.
Unaufhörlich stritten Stimmen
In der Luft, obwohl sich
Die mythologischen Wesen längst
Zurückgezogen hatten.

Übrig bleibt schließlich die Hand,
Die sich um eine Kehle legt.

In diesem Land

Überall in diesem Land
Kann man tun, was man will
Und braucht nicht zu staunen, wenn
Der Mond sich als Mond zeigt
Und vom horizontblauen Balkon
Ein Gedicht herabgelassen wird,
Um eine heiße Mauer zu ernüchtern.

Die Jacketts können anbehalten werden,
Da es rasch kühl im Raum wird,
Wenn man miteinander spricht.

Lohnt es sich noch,
Nach den Blumen zu sehen,
Die mit den zärtlichen Worten
Umkommen?

Niemand in diesem Land ist traurig,
Wenn er einen Toten auf der Straße
Nicht wiedererkennt.
Er starb sicherlich, während die Hände
In den Taschen blieben.

Schlaf

Während ich schlafe,
Altert das Spielzeug,
Das ein Kind in Händen hält,
Wechselt die Liebe ihre Farbe
Zwischen zwei Atemzügen.
Das Messer im Türpfosten
Wartet vergeblich darauf,
Von einem Vorübergehenden
Mir in die Brust gestoßen zu werden.
Auch die Mörder träumen jetzt
Unter ihren Hüten.
Eine stille Zeit. Schlafenszeit.
Man hört den Puls derer,
Die unsichtbar bleiben wollen.
Die Weisheit der unausgesprochenen Worte
Nimmt zu.
Behutsamer blühen nun
Die Pflanzen.
Es sind keine Augen da,
Die sie bestaunen können.

Erwachen

Sage ich zum erstenmal: Rose?
Ich nannte früher
Unrechte Namen.
Die Minuten, die
Meine Finger umschließen,
Haben kein Gewicht.
Wenn ich es spüre,
Wird es wieder zu spät sein.
Doch jetzt hat der Tag noch
Eben aufgeschlagene Augen.
Die Nacht zog sich
Hinter die Lider zurück.

Der Blätter-Schütze

Der nach den treibenden Blättern zielte,
Verletzte den Himmel
In einem Augenblick, in dem er
Sich unverwundbar wähnte.
Es werden Wolken kommen
Und nach dem Schützen suchen.
Ihre Fäuste drohen schon
Hinter einer Baumgruppe am Wasser.
Er wird nicht davonlaufen können.
In keinem Wind wird er sich
Von Stund an mehr verstecken.
Nicht umsonst hat er der Luft
Die Geduld des Herbst-Mittags
Gestohlen.

Der Baum

Gestern habe ich einen Baum gepflanzt
Und ihm den Namen
Meiner Unruhe gegeben.
Heute umspringt seine Hüften
Die Forelle des Lichts.
Das Silber kleiner Gespräche
Dringt durch sein Laub.
Es ist Versteck für alle Mittage.
Später lehnt der Abend
Eine goldene Leiter
An seine Krone.
Die Nacht benutzt sie,
Um mit ihrer Hilfe den Himmel zu verlassen
Und in die Arme einer Gestalt zu sinken,
Die sich mit abgeblendeter Laterne
Bereit hielt.

Midi

Eine Gruppe weißer Baskenmützen.
Wer sich ihr nähert,
Muß mit goldenen Schultern und Händen
Über den Platz.
Der Schattenfisch ließ sich an dieser Stelle
Noch gestern fangen.
Jetzt lebt er auf dem Grunde
Leerer Weinfässer in Hauseingängen.
Midi, gegerbt von Katzenharn!
Eine dünne Glocke fällt einer anderen
Ins Wort.
Zwei kraftlose Augäpfel
Werden vom Licht geerntet.

Gewitterlandschaft

Der rote Schatten des Milans
Zerfällt unter Schirmakazien.
Man kann das Eidechsen-Gestein
Nicht anfassen,
Ohne sich zu verbrennen.
Große Käfer umzingeln
Das Licht der heißen Gebüsche.
Eine blaue Flamme
Wandert am Straßenrand.
Wer jetzt ruft,
Bekommt nie wieder Antwort.
Die fensterlosen Häuser
Wenden sich ab.
In schwarzen Nischen
Hocken Katzen.
Schon knistert ihr Fell
Im ersten Blitz.

Verrufener Ort

Gerade eben noch
Rann das Wasser
Von den nassen Schindeln.
Eine Gruppe berittener Hirten
Bog um die Ecke
Und hielt die Mützen
Unter den Regen.

Nicht einmal eine Staubwolke
Blieb von ihnen zurück.

Immer noch riecht es hier
Nach kranken Tieren.
Das Echo von Pistolensalven
Schläft wie eine Erscheinung
An den Stallwänden.
Doch überschlägt sich keine Stimme mehr
Im Tode.
Der letzte Hahn
Wurde längst geschlachtet.
Sein kopfloser Schatten
Taumelt noch manchmal
Im Kreise.

Landschaft nach Süden

Unter dem Gewicht des Obstes
Bricht die Landschaft in die Knie.
Sie erholt sich wieder
In Flußläufen, aus denen
Hände winken.

Überall werden Türen aufgestoßen
Und beginnt es,
Nach dem Süden zu riechen.

Abends steigt ein moslemischer Mond
Aus dem Wasser, in das er sich
Jeden Morgen stürzt.

Dazwischen liegt die Zeit
Der in die Hitze gehaltenen Gläser
Und der Schritte, die in der Luft
Straucheln.

Nachtmahl

Geröstete Artischocken!
Der Abend riecht nach ihnen.
Gern bleiben die Leute
Unterm Fenster stehen
Und horchen auf das Klirren
Der Gabeln.
Man betet, ehe das Huhn
Zerteilt wird.
Später, wenn der letzte
Weinrest verschüttet ist,
Legt im Finstern
Das Schweigen seine schwarzen Handschuhe
An die Kehlen der Esser.
Das Benzinlicht
Eines Feuerzeugs sucht vergeblich
Am Tisch die Gesichter derer,
Die es sich hier eben noch
Wohl sein ließen.

Kehraus

Die Selbstschüsse,
Die im Gelände die Äpfel bewachten,
Werden alle auf einmal
Losgelassen. Die Ernte
War zeitig.
Es tut gut, durch die tote Landschaft
Zu gehen, in der jedermann
Seinen Fuß auf den Nacken
Der besiegten Wärme setzen kann.

Überall tauchen nun Hüte auf,
Die man vor den Kinderdrachen am Himmel
Zieht.
Manchem wird am Abend jetzt schon
Ein schweres Bier schmecken.
Offenen Mundes staunen andere,
Daß es wieder einmal so kam
Wie immer, in diesen Wochen ...

Spätsommer

Kein Früchtegott
Sieht dem Staubbad der Hühner zu.
Aus den Blätterscheiden
Duftet schweigsames Leben
Und schließt die Schnäbel der Vögel.
Noch ist Sommer mit dem Licht
Des rieselnden Häcksels.

Die grüne Braue der Landschaft
Wird dünn.
Männer mit ruhigen Gesichtern
Gehen einer Windmühle entgegen,
Die mit dem Horizont flüstert.
Ihr Gespräch wird
Vom September belauscht,
Der den Heupferden
Ihre Verstecke nimmt
Und der Luft Sichelhiebe zufügt.

Die Erde hält still.
Sie will überleben.

Feierabend

Heubündel werden auf Köpfen
Vorbei getragen.
Ehe man sie fallen läßt,
Ist die Kreissäge im Hofe
Verstummt. Es war ein Tag
Ohne zerrissene Finger.
Im Laub rascheln Aale, schlammentstiegen.
Sie wandern der Nacht entgegen.
Vorher hatte sich der Azur
In Silberpappeln aufgeknüpft.
Ein Vorübergehender
Hielt die Sonnenuhr an.
Langsam schreibt eine Hand
Die Namen derer an die Bretterwand,
Deren Herzschlag nun aussetzt.
Die Lehmschrift ist
Bis zum anderen Morgen zu lesen.

Es wird kälter

Ein versetzter Mantel
Wärmt die Nymphe Daphne.
Gestern noch, als die Luft
Über entfernten Stadtvierteln
Wie blauer Wein schwankte,
War das anders.
Ihre Augen waren noch nicht
Zu Strichen zusammengezogen.
Aber Landregen kam,
Der lästiger als Tränen war.

Fallende Haselnüsse trafen sie
Im Nacken und schmerzten.
Sie fror am Tisch, an dem sie
Eingeschlafen.
Da kleidete sie einer, der sie
In der Kälte weinen sah.
Unter der Kapuze erkannte sie
Nicht einmal der Fluß wieder,
Ihr humanistischer Vater.
Doch konnte jetzt kommen,
Was wollte ...

Das Haus

Bevor aus seinen Fenstern
Schwarze Fahnen wuchsen,
War alles in ihm ruhig gewesen.
Die Katze saß über der Falltür.
Die gestorbene Frau
Winkte auf der Treppe.
Man konnte mit den weißen Petunien reden,
Die aus Nischen blühten.
Immer war gerade vorher
Einer fortgegangen und hatte
Mit den Zehen zarte Namen
In den Staub geschrieben.
Die Stunden trugen die Haare
Ins Gesicht gekämmt.
Aber nun sind die Bettlaken
Schwarz geworden vom Abdruck
Fremder Körper, die im Hause
Nächtigten.
Die Zeit, die sie miteinander verbrachten,
Wächst unaufhörlich in den Himmel.

Brise

Ehe die Brise die Schiffe
Über die Dächer der Matrosenkaserne trieb,
Hatte man Karten gespielt
Oder auf dem Rücken geschlafen.
Niemand bemerkte das Zucken
Von Wimpern und Lippen,
Die sich wie gewöhnlich
Auf der Straße zu verständigen suchten.
Die Fischhaut des Himmels
Wurde dünn.
Da hielt der Wind seine Hand
Unter die Kiele der Segler.
Die gelben Häuserwürfel blieben zurück.
Die Fahrt ohne Ballast
Verlor sich in einer Ferne,
Die über den Rand des Gesichtskreises
Getuscht war.

Die Inseln

Aus den Rümpfen von Schaluppen
Sind sie gebildet, weiß
Wie die Wolle der Pappelsamen
Über dem Wasser!

Kein Ruderer wird sie erreichen.
Kein schwarzes Segel am Mittag.
Sie stehen mit hohen Frauenschenkeln
Auf der Flut und blinzeln abweisend
In ein Licht, das
Keine Stimmen duldet.

Nur abnehmender Mond
Reitet sie ein paar Nächte lang.
Seiner Begehrlichkeit
Sind sie nicht gewachsen.
Von fern hört man sie singen,
Bis er untergegangen ist.

Bald darauf werden dann meistens
Die Leichen einiger Matrosen
Wie große Fische
An Land geworfen.

Der Wind im Zimmer

Unter Gelächter und Türenschlagen
Findet er ins Zimmer.
Ohne Verbeugung wirft er
Die Lampe um
Und liest in den Augen
Der feindlichen Brüder.
Im Zündholz-Licht sagt er nicht
»Guten Abend«.
Er zerbricht die Köpfe
Der Vorfahren. Ihre Büsten
Kommen mit den Veilchenbuketts
In den Kehricht.
Auf einer Schulter reitet er
Die Wände entlang,
Während die Zigaretten ausgehen.
Wer ihn im Dunkeln fängt,
Wird am anderen Morgen aufwachen
Mit einer fremden Windrose im Haar.

Interieur

Ein paar Schritte zwischen Stuhl und Stuhl
Ohne Dämmerung zwischen den Fingern.
Nirgends ein toter Punkt, da überall Gefühle
Nicht durchzusetzen waren.

Der Raum ist freundlich
Zu geschlossenen Türen.
Er bleibt zurück
Mit zeichenlosen Wänden.

Vom letzten Spiel die Karten
Liegen noch am Boden.

Nach und nach

Nach und nach fiel sie
In die Hände seiner Worte.
Die Bäume auf dem Wege zu ihm
Waren rasch verblüht,
Die Gebüsche zerbrochen, in denen
Ihre Zärtlichkeit die Wange
An seinem Gesicht rieb.

Sie war nun in seiner Gewalt
Wie zwischen großen Hunden,
Die jedem Fremden
Nach dem Leben trachten.
Langsam verging sie, umstellt
Von Dolchen des Gesprächs,
Das er mit ihr führte.

Sie hatte keinen Willen mehr,
Wenn der Schatten seines Bartes
Unter dem Mond auftauchte
Und seine Stimme befahl,
Ihm zu folgen . . .

Andere Jahreszeit

Während ich mich einen Augenblick umwandte,
Ist sie den Reitern in das Land
Hinter dem Horizont gefolgt.
Jedermann wird dort sehen,
Wie sie mit weißen Zähnen lacht
Und in die Schoten heißer Früchte beißt
Oder sich mit dem numidischen Wind
Schlafen legt.

Als ich sie einen Augenblick vergaß,
Ist sie zu Jugurtha gegangen
Oder zu einem, der ihren Namen
Anders ausspricht als ich es tat.

Sie hat mich in dem Augenblick verlassen,
Als ich mich nicht mehr des Mantels erinnerte,
Den ich im schwebenden April
Unter ihr Gesicht breitete.

Fremde Männer werden das nun besorgen.
Aber es ist eine andere Jahreszeit.

Nach der Arbeit

Die Soldatenmützen sind in den Nacken geschoben.
Es ist so weit, daß man sich
Die Augen reibt und nach der Sonne sucht,
Die untergegangen ist.
Aus den Häusern stürzen
Wasserfälle des Lichts.
Sie verlieren sich im Efeugebüsch,
In dem ein Schatten
Über einen Schatten gebeugt bleibt.
Andere machen woanders ihr Glück.
Schon ist die Nacht auf der Suche
Nach denen, die unter ihrem Messer
Fallen sollen.

Der Goldfisch auf der Lauer

Da er sich beobachtet wähnte,
Suchte der Goldfisch
Ein anderes Glas, in dem er besser
Dem grünen Schatten
Des gestern gestorbenen Gärtners
Auflauern konnte.
Der Tote war dabei,
Sich langsam in die Pflanzen
Zu verwandeln, die er zu Lebzeiten
Übersehen hatte,
Während der Fisch
Auf den Augenblick wartete,
In dem er mit zarter Lippe

Blumen zupfen konnte, die
Aus dem Grab seiner Hände
Zu erblühen begannen.

Im Vorübergehen

Zieh deine Taschen aus!
Doch hast du nichts
Dahinter zu verbergen.
Man ließ dir wenig mehr
Als zwischen Zehen Sand.

Das Innere deines Mantels
Ist ohne Herzschlag.
Es bleibt still,
Wenn man sein Ohr
An deine Fußspur legt.
Die Stelle, an der du
Im Gehen zögertest,
Wurde schwarz.
Niemand wird sich lange
Nach deinen Kleidern
Auf die Suche machen.

1958

Heiße Straße

Paris, rue de la Harpe

Auf zerbrochenen Stuhlbeinen
Sterben Tauben.
Ehe sie aus der Tiefe
Ein Schatten mit arabischen Händen
Greift,
Nisten sie wie sonst
Im Kehricht der Luft.

Eine Trommel schlägt an,
Um sich vor der Hitze zu schützen,
Und grüßt schwarze Kniekehlen.

Der Juni ist stark wie ein Neger.
Seine Zehen zertreten
Die Blumen des Vormittags.
Wenn er die Augen schließt,
Wird es Nacht in der Straße.
Die Liebe erholt sich dann
Von den Schrecken der Helligkeit.

Robinson

I

Immer wieder strecke ich meine Hand
Nach einem Schiff aus.
Mit der bloßen Faust versuche ich,
Nach seinem Segel zu greifen.
Anfangs fing ich
Verschiedene Fahrzeuge, die sich
Am Horizont zeigten.
Ich fange Forellen so.
Doch der Monsun sah mir
Auf die Finger
Und ließ sie entweichen,
Oder Ruder und Kompaß
Brachen. Man muß
Mit Schiffen zart umgehen.
Darum rief ich ihnen Namen nach.
Sie lauteten immer
Wie meiner.

Jetzt lebe ich nur noch
In Gesellschaft mit dem Ungehorsam
Einiger Worte.

II

Ich habe zu rechnen aufgehört,
Wenn ich auch noch Finger habe,
Die ich nacheinander ins salzige Wasser
Tauchen kann.

Insekten und Tabakblätter
Kennen die Zeit nicht,
Die ich früher vergeudete.

Mein letzter Nachbar,
Der das Waldhorn blies
(Er hatte es einst einem Volkslied
Listig entwendet),
Kam auf See um.

Zuweilen fällt ein bißchen Sonne
Auf den Tisch, unter den ich die Füße
Strecke.
Ich brauche keine Sehnsucht mehr
Zu haben.

III

Diese Gewohnheit, irgendwo sehr lange
Auf einem Stuhl zu sitzen
Und zu horchen, ob es
In einem regnet
Oder in der Leber
Der Skorpion sich noch rührt!

Gezählt sind alle Blitze,
Alle Streichhölzer, die übrig blieben.

Bis man es leid ist
Und den letzten Wimpel
Im Meer versenkt.

Am See

I

Gehen wir Steine mit kühlen Gesichtern
Aus dem See fischen
Und werfen wir sie den Schritten derer nach,
Die davonlaufen.
Ein Ufer ist gut, um der Angel im Herzen
Zu gedenken und Blumen
Für die gestorbenen Forellen
Zu streuen.

Gehen wir die Augen Ertrunkener suchen,
Die im Lichte der Böschung blinzeln,
Und tragen wir ein bißchen blaues Wasser
Dem Abend entgegen, der bald
Am Strande schlafen wird.

II

Versteht ihr, daß hier niemand
Durst hat?
Die Zunge ist feucht vom Geschmack
Freundlicher Minerale,
Wenn ihr euch im Schatten
Gestrandeter Boote niederlaßt.
Nur eine Brise erhebt sich
Und trägt auf beiden Händen
Eine Büste:
Die Stille, ohne Mund,
Der flüstern könnte.
So ruht ihr lange aus,
Bis eure Ebenbilder
Kopflos von der Flut
Davongetragen werden.

III

Wir haben den Anker abgewaschen,
Den wir uns auf die Brust
Malten.
Wir lachten, denn das Herz der Strömung
Schlug uns nie bis zum Halse.
Man bleibt nicht länger
Kapitän der Welse.
Süßwasser hing noch eine Weile
An den Sohlen. Und die Nacht
Kam als Sirene.
Schwarz ihr Vogelleib.

Blut der Nacht

Schwarzes Blut
Aus einer von den Schatten
Umgestürzten Flasche: –
Blut der Nacht!

Diebslichter hüpfen
Über die Straße.
Aus künstlichen Blumen
Fällt Staub
In die zu großen Augen
Der Stille.

Auf der Flucht vor dem Tod
Blickt niemand sich um.
Die letzten Schritte
Ersticken im aufgelösten Haar
Des Windes.

Manchmal

Manchmal ist der Himmel
Sehr blau über dem Grab
Der enthaupteten Stunde.

Eine große Hand
Zog in der Ferne
Die steinerne Linie des Horizonts.
Junge Katzen spielen unterdessen
Mit der heimatlosen Zeit,
Da der methodische Schrecken
Des Mittags von ihr abließ.

Augenblicke der Wasserträger, die
In ihren Eimern den Durst sammeln.

Ganz nahe ist mit roter Pupille
Eine Flamme auf der Suche
Nach einer Lunte.

Jedes geflüsterte »Wer da?«
Käme zu spät.

Der müde Athlet

Oh, wie lieb ich die Sachen,
die mit mir spielen.
Friedrich Schlegel, Erscheinung

Der Athlet ist müde geworden.
Er turnte zu lange
Auf mürben Blättern
Und zeigte dem Zenit
Den Handstand.

Nun teilt er mit dem Abend
Einen schwarzen Fisch
Bis auf die Gräten.
Die zu oft gestoßene Kugel
Zerfällt im Sand.
Alle Muskeln dürfen noch eine Weile
Den Tag stören, der im Flußspiegel
Auf dem Gesicht schläft,
Bis sie es leid werden,
Mit dem Dunkel zu spielen,
In dem die Kunststücke des Morgens
Schon auf sie warten.

1959

Altertum

Es regnet Tauben für Fotografen.
Die lateinische Luft
schläft über dem Feuer
der Kastanienbrater.

Man kann steife Hüte tragen,
da nie ein Sturm aufkommt.

Küsse und Bonbons
wachsen jedem in den Mund
wie in einer Oper von Paisiello.

Sage mir endlich, daß du
genug davon hast!

Die Nacht steht schon
mit schwarzen Schenkeln
vor der Tür.

Sie führt dich
an offene Gräber.

Das Altertum lebt in ihnen
mit längst geronnenem Blut.

Der Sonntag

Zeit ohne Blut und Ruß.

Immer kommt der Sonntag
vom Grab der Makart-Bukette.
Er trägt seine eigene Vergangenheit
auf Händen
und ruft den Spaziergängern
›Bravo‹ zu.

In den Wohnungen
blieben Blumen
mit abgeschnittenen Hälsen zurück.

Zeit der bösen Blicke!
Sie ertrinken mit den Fliegen
im Milchkaffee.

Eine große, gelbe Tür springt auf.
Langsam beginnt es zu regnen
auf alle, die im Todesschlaf liegen.

Abend-Beschäftigung

Ohne weiteres
den kindlichen Horizont wiegen
und die Dämmerung abschieben,
die sich einmischt,
den reglosen Schlafanzügen
ihre Streifen auftrennen.

Ohne weiteres
das Abendlied
in Begleitung dreier Amseln
vorüberlassen. Und überhaupt
– sein Bett auf den Knien –
das Schauspiel des Dunkels,
die Negerin, die ihre Kleider
ablegt! Ihre Haut
raschelt noch eine Weile,
duftet nach Nelke
und stirbt aus Angst
vor kalten Fingern.

Auf eine, die vorübergeht

Auf der weiblichen Straße
trägt dir die Wiese
ihren Lavendel entgegen.
Der Fluß
lehnt seinen Spiegel an den Wind.

Aber du hältst
die Lider geschlossen,
und die enttäuschte Landkarte
mit ihren Fischen und Pappeln
rollt sich unter einem Himmel auf,
den du vergaßest.

Ein Luftschiffer
winkt dir nach
aus seinem Grabe,
dem Grunde
einer alten Flasche.

The Fairy Queen

Nach der Musik von Henry Purcell

I

Landschaft nach dem Augenmaß
zweier Libellen:
Sie bewegt sich um dich
mit Peitsche und Flöte.

An deinem Gesicht
die Krümmung ihres Wassers.

Das Licht legt dir
seinen Mantel um.
Nun bist du gekleidet
wie der geborstene Körper
des Mittags: durchsichtig.

Du mit den heiteren Blicken
der Nutzlosigkeit,
von Insekten geliebt,
zerbrechlich wie schönes Wetter,
eine Königin.

II

Unleserliche Schriftzüge
einer Brise
auf dem Badeteich:
mit blauer Pupille
bestaunt sie der Morgen.

Das Gras riecht wie ein Mund,
den Strähnen von Zigeunerhaar
schützen.

Willst du einen grünen Käfig
für Grillen?
Willst du Fallen stellen,
um deine eigene Sage
wie verbrannten Rosmarin
zu fangen?

Kehr zurück,
du hast das Wohlwollen
deines Schattens,
der aus dem Wasser steigt.

III

Deine Hände
über dem Selbstgespräch
einer ländlichen Trommel.

Du wärmst die Musik
am naiven Strohfeuer,
das aus dem Boden schlägt.

Mit seiner Asche
gezeichnete Karte des Dunkels!

Die Nacht kommt,
tote Rebhühner auf dem Rücken.
Du stellst für sie
die Lampe in die Luft
wie ein Gelübde.

Laß den Himmel

Laß den Himmel, durch den jetzt gerade
Auf blauen, zweirädrigen Karren
Blumen gefahren werden!

(Sie kamen um in der Hitze, die
In den Taschen die Streichhölzer
Entzündete.)

Zerbeiß ein Stück Zucker. Du bist
Müde. Die Stunde ist
Ohne Geschlecht und Vaterland
Wie Hindinnen
Der präraffaelitischen Bücher.

Der Tag: rohes Kupfer.
Laß die Liebe, in der man einander
Nicht wiedererkennt.

(Und nachts wird geschossen,
Wenn im Dunkeln
Zwei Augen leuchten.)

Die Neugier

Der Vorrat an Augen
reicht nie aus.

Am Modell einer Viertelstunde
die Traube von Blicken.

Aus dem Laub stechen Zungen
aufeinander ein.

Worte arbeiten am Hinterhalt.

Über der Luft
schwebt einsamer Alkohol.
Er wäscht die Leichen derer,
die starben am Gesehen-werden.

Arbeit

Was einer tat,
hält sich ohne die Gesellschaft
von Händen.

Arbeiter
an des Mondes alter Pupille,
an den Schlafbewegungen
fremder Frauen: –
ihr dürft nicht
von der Anatomie
phlegmatischer Pflanzen lassen.

Plant die Neugier der Wolken
auf den Regen!

Ihr werdet
eure Muskeln nicht gebrauchen,
wenn ihr die Landschaft
ohne Kommentar
in den Brombeeraugen der Hasen
entdeckt.

Finger

Finger sind immer schwerer zu halten,
gehen gern auf die Suche
nach einem Einmaleins,
statt auf dem Scheitel
des Windes zu ruhen.
Spielen mit Zahlen über zehn
und lassen die Mandolinen sterben,
die sie so sanft
zu zupfen wußten.
Nur drohen können sie noch
wie in alter Zeit,
als sie nicht daran dachten,
sich in der Algebra
zu üben.

Aus dem Leben eines Tisches

Bei der Geburt des Tisches
fällt ein Schnitzmesser aus der Luft.

Später rettet er
das Leben eines Weines davor,
verschüttet zu werden.

Auf langen Stangen
vorbeigetragene Träume: –
Seelen der Trinker,
die an ihm starben
beim Flüstern der Karaffen.

Nachtwachen, die ihn das Gewicht
von Stundengläsern spüren lassen!

Das Schweigen
ist der Krebs des Gelächters,
unter dem die Mahlzeiten
immer rascher enden.

Als der Blitz in ihm einschlug,
trauerten die Äxte,
die auf sein Alter warteten.

Krankes Wetter

Die Luft ist ein geschwärztes Grab,
Spuren Atlantik drin.
Augen toter Schiffer sehen
nach einem Blau aus,
das es nicht mehr gibt.

Es sind jetzt schlechte Zeiten
für Kristalle.

Kein Ton mehr
in zerbrochenen Muscheln.

Die Unordnung ist groß
am Himmel. Die Geräusche
des Sterbens kommen aus Zimmern,
die der Wind durch ihre Fenster raubte.

Kabeljauköpfe bluten
überall im Land.

Die Wolke

Man kann mit ihr
spazieren gehen,
solange keine Himmelserscheinung
über sie herfällt.

Das Wasser widmet ihr
seine Aufmerksamkeit
und winkt aus verdunstenden Flüssen.
Es rührt an das Gedächtnis
des Regens.

Parade

Es kommt auf den Staub an,
den das erstarrte Wasser
nicht vertreibt.

Die Reiter sind ihren Pferden
immer ein wenig voraus.

Die Minuten sprechen
mit vielen Füßen.

Auch die Welt
der vorüberfahrenden Geschütze
ist der Versuch,
Rosen zu Fall zu bringen.

Auf dem Balkon die Schachspieler
sind nur eine andere Instanz
der Gewalt.

Sie heben die Köpfe,
wenn sich der letzte Soldat
im plötzlichen Regen
aufgelöst hat.

In Portugal

Convento dos capuchos, Sintra

Mönchische Einöde.

Der Tod der Kapuziner
drang durch Kork.

Die Rache des Ozeans
ist der Wind.
Als wohlgeformte Luft
fällt er über Mimosenbäumen
in Schlaf.

Die Schwermut hat
eine lange Geschichte.
In ihren Augen
steigt das Tränenwasser
der Lieder.

Auf dem Rückzug

Schließlich konnte man nicht einmal mehr
Leitern an ihn legen.
Auch keine kleinen Feuer.

Augenpaare und Streichhölzer
überredeten ihn vergebens.
Er war nicht brennbar.

Dafür kam es vor,
daß er auf sein Zimmer ging
und durchs Fenster
Verbeugungen austeilte.

Unterm Bett wartete
ein Korb voller Handküsse
auf den Wink einiger Verstorbener.

Sie zeigten sich ihm manchmal
in einer Wolke.

Schattenspiel

Körperkräfte der Schatten.
Ein Bündel Kerzen
leuchtet ihnen.

Im Stearingeruch
tragen sie eine Venus ohne Kopf
vorüber.

Aus den Ziegeln
reicht der Arm eines Verfolgers,
der sie einholt,
ehe das Zimmer wieder schwarz wird.

Das Bett im Winkel
brennt bis gegen Morgen.

1960

Beginn einer Liebe

Zuerst Pupillen, wie von Atropin
vergrößert.

Wer fällt in den blauen Brunnen?
Wer deckt den Himmel zu?
Wer redet von der Hand,
die keine andere wäscht?

Später die Nähe
von Zähnen und Zunge.
Wahrsagen ist leicht.
Kein Vogel ruft
»Kuckuck« dazwischen.

Was kommt, ist ohne Gedanken.
Wer deckt die Träume auf?
Wer schreibt mit kleiner Schrift:
Die Nacht hat schwarze Achseln.

Ich habe lange nicht
so tief im Schlaf gelegen.
Allmählich lernt man wieder:
Die Brunnen trocknen aus.

Kälte

Gefrorener Fische Kälte,
Gefrorene Träne
im gefrorenen Wind.

Einer trägt ein Stück Glas
auf der Schulter:
ein Stück Teich oder
die Biegung eines Baches.

In der Luft fliegende Kohle:
Krähen ohne Stimme.
Nur die Rufe der Glaser
bleiben auf den Straßen
zurück.

Weiß

Weiß. Ein zerschnittenes Tischtuch.
Jemand schwenkt es: weiße Hand
des Ostwinds.
Einer sagt, es schneit.
Allmählich
schlägt die zerschnittene Luft
die Augen auf vor Kälte.

Schnee ist schön zum Schreiben.
Einen weißen Brief lang
fügt sich die Zeit und duftet
nach Frost und Äpfeln,
bis sie schmilzt.

Bei Tagesanbruch

Vom Morgen gemähter Mond.

Das Licht kommt
mit blauer Schärpe auf den Lidern.

Unter offenen Hemden
niemals soviel Himmel!
Himmel wie der Brustkorb
eines Mannes.

Vogelrufe
in jedem Kehlkopf.

Zeit für die Toten,
um am Fenster
den Tod zu vergessen.

Im Grünen

Frauen- und Vogelköpfe
im Laub, das aussieht wie Laub
der Aquarellmaler.

Hier kann man sitzen
und langsam mit der Luft sprechen.
Grün: bis unter die Herzen,
unter den Kinderhimmel,
in dem jeder Verdacht
zur Wolke wird.

Es macht Kopfweh, weil es
noch bei geschlossenen Augen
grün bleibt.

Aber man kann auch darüber lachen
und sich ein blaues Fahrrad ausdenken,
mit dem man den Horizont entlang
fährt.

Unruhe

Reise mit beiden Händen: –

Die Fahrt ins Innere
der Augenblicke leuchtet
in bengalischem Feuer.

Ohne Wetter und Sonntag
die Unruhe: –
Geräusch eines Pfaus,
der sein Rad schlägt
oder kleine Bewegungen
zwischen rechts und links.

Niemand ordnet
die Hast der Schatten,
die vom Licht leben.

Am Ufer
zwischen gestrandeten Worten
redet Wasser mit Wasser.

Tag in Deutschland

Tag mit blauen Fingernägeln,
mit deutschen Augen, nichts
für Freunde von Logarithmen.

Am Brunnen wird das Blattgrün
gewaschen, bis es weiß ist:
Staub von Gefühl, mit dem sich
schreiben läßt, zum Beispiel:
gotisch oder mit Gewehren.

Am Tisch der Wein:
er macht die Trinker schwarz.
Sie fallen mit ihren Seelen
durch die offene Nacht.

Stele für Catull

Tot in toter Sprache: –
unbeweglich
im schwarzen Zimmer Roms
perdita iuventus.

Doch der Vogelflug der Worte
fällt immer wieder
aus vollem Himmel.

Ihre hellen Körper
bewegen sich in unserer Luft.
Wir legen sie ins Grab dir,
in dem du ganz allein bist
mit dem toten Sperling –

Catull, von leichten Buchstaben
der Liebe geschützt,
vom Alter jener Augen,
die sich nicht mehr schließen.

Passer mortuus est
meae puellae.
Ein Flüstern noch
in Pappeln.

Stele für Domenico Scarlatti

Ein Hut in der Luft
ist ein Vogel,
der seinen Namen sucht
oder die Verbeugung des Leichtsinns
vor allen, die auf Erden
ohne Klavier zurückblieben.

Ein Hut – eine Botschaft
an den Himmel,
der Sonaten erntete,
als die Finger traurig waren
und vergaßen, sich zu bewegen.

Ein Hut – eine Weile
zwitschert er aus hellem Gefieder.
Dann verliert er sich langsam
in deinem Licht.

Schlaflos

Komm in meine Nacht,
wenn die verborgene Münze
in der Wand klirrt
und überall
Wasser geboren wird,
die Luft auf Zehenspitzen bebt,
um zu trinken.

Den Minuten
fallen Minuten ein,
den Tischen die Teller.
Es geht gesittet zu
im Bett mit dem geschwärzten Gesicht
des Leinens an den Stellen,
an denen die übergeschlagenen Beine
nach dem Aufstehen vergessen werden.

Komm näher,
du findest nichts als den Schlaf
schlaflos,
einen Schneemann, der nicht schmelzen kann
im Eis der Körper.

Das Dunkel spielt mit Frauenkämmen
ihm zu Häupten.
Es nährt sich vom Lichtschein
im Fenster.
Getauft mit ungeweinten Tränen
wartet vor seinem Glas
der Morgen.

Etwas endet

Nimm ein Märchenbuch
auf die Knie.

Was war
außer einem Ritt durch Wasser?
Kurz ist die Reise
von Grab zu Grab.

Die Vergangenheit
bleibt eine Landschaft
mit Frauen, die sich schnell
entfernen.

Das Ende kommt
beim Blättern in Bildern,
die niemand mehr
sehen will.

1961

Veränderung

Empfindliche Netze
sind ausgelegt.

Die athenische Klarheit
eines Gesichts
läßt sich in ihnen fangen:
der unwiderstehliche
Herbst.

Langsam verändert sich
die Wildnis der Landschaft
mit den unregelmäßigen Zügen
von Eiche und Buche.

Die hochgezogene September-Braue
ermüdet im Anblick
der Zugvögel.

Der Morgen wirft weiter
Goldstücke unter die Leute.
Sie rollen von Spieltischen
in den Sand zu den ernsten Spuren
des Alterns.

Himmel

Arena der Scherenschnitte!
Sie kämpfen darum,
Schneeflocken oder Lerchen
zu werden.

Der Sommer läßt in ihm
sehnsüchtige, blaue Schiffe fahren.

Auf ihrer Reise zum Zenit
werden sie immer leichter.

Die Engel des Horizonts
warten schon mit Licht
unter den Wimpern.

Für einen Augenblick

Für einen Augenblick
seine Stimme im Sande
vergraben,
einen Nachfolger suchen,
der in Gestalt eines Vogels
sich ihrer bedient.

Für die künftigen Vokale
sind die Leimruten indessen
schon ausgelegt.

Porträt einer Hand

Fünf Nägelmonde, die aufgehen
über dem Himmel
der rechten Hand: –

Sie hält eine schwarze Haarsträhne,
eine Blume ohne Alter,
ein namenloses Lichtbild.

Die Geschichte des Ringfingers
ist nicht die Geschichte
des Zeigefingers.

Diese Hand griff zu.
Sie schlief den Schlaf
ihrer fünf Monde
in einer anderen Hand.

Kindheit

Kerzenlicht in einer Flasche:
Kindheit.

Das Herz des Dunkels glühte
als Holzkohle.

In der Flußmündung
riefen die Schiffe einander
bei Namen
bis die Nacht vorüber war.

Ein Traum erschien
als Galionsfigur
an der Zimmerdecke.

Laub, grüner Gazeschleier.
Ich war eine Wassertaube,
die sich verflogen hatte
und über der Weser klagte,
dem grauen, schlagenden Butt.

Siebensachen

Jemand hat uns
Blätter auf die Augen gelegt.

Kühl ist das Grün.
Es riecht nach Käfern
und Grillen. Ein Kuß
kommt schnell hinzu
aus der Luft.

Der Frühling
ist eine mechanische Nachtigall.
Ausgestopfte Vögel
schweben inniger
an der Wand.

Ohne Grund
wird aus Wassersilber
eine Goldmünze:
so geht der Mond auf.

Die Siebensachen der Liebe
sind rasch vertan.

Blätterschiffe

Gefangene Schlange.
In den Fäusten
hält sie der Mittag,
bis sie still wird.

Mit der Schere schneidet er
aus Hecken Schiffe
für das alte Wasser.

Nach altem Plan ziehn Schwäne
und Nelken mit gebogenem Hals
vorüber.

Die Blätterflotte folgt.
Die Fische schweigen.

Ihre Mäuler zupfen
die grünen Kiele
auf den Grund des Gartens.

Stelldichein

Laß sehen, wie das Stelldichein
des Mondes mit der Hauswand
ausgeht! – Die Katzen
halten ihre weichen Kehlen
in die Luft.
Die sophokleischen Nymphen
legen die Hände
auf den blinzelnden Fluß.

Das Licht
ist eine Insel in der Nacht.
Der Schatten eines Mädchens
ist leichter als der Schatten
eines Mannes.

Jeder Laut läßt die Lippen
des Kalks auf der Mauer
bleicher werden.

Mit beiden Füßen
gehen die Toten
an ihr entlang.

Schreiben

Papier, auf dem sich
leichter Wind niederläßt.

Unbedachte Linien: Wellen
eines Wassers, das die Hand
aus der Luft schöpft, Worte
auf meinem Tisch wie
Liebespaare, Körper
von Pflanzen.

Papier: wie schönes Wetter,
drauf zu schreiben,
vergeßlich wie das Glück,
Girlande, welkend umgehängt
der Gegenwart des Todes.

Der Zauberer

In den Zikaden
ist ein Zauberer versteckt,
der singt.

Jung ist er
wie Laub und Zeisige,
die das Ohr verhexen.

Das Gemurmel der Krüge
ist das Echo seiner Stimme.

Mit unsichtbaren Händen
schüttet er Mittagsblau
vor die Haustüren.

Nachts ist er Spion
im Blut von Mann und Mädchen,
ehe sie in ihre Körper
zurückkehren.

Die Zikaden
finden keinen Schlaf.

Im Herbstnebel

Die Gehröcke der Vogelscheuchen
sind in Ackerfurchen
schlafen gegangen.
Sie üben ihr Sterben
im Winter.

Nebel kommt: –
eine Landschaft
mit verbundenen Augen.
Straßen und Bäume
spielen in ihr Blindekuh.

Der Maultrommel-Zupfer
versteckt sich
auf der unsichtbaren Gartenschaukel.
Gelangweilt wiegt er sich
auf hohem Meer,
strandend in einem Duft
von Aster, Bergamotte.

Der Fluß

Wenn er Lastkähne trägt,
ist er ein Mann,
Rauch und Pfiffe im Gesicht.

Aber bei den Korbweiden
wird er eine Frau,
die mit Blättern und Stieglitzen
flüstert,
oder ein Mädchen,
Silber sein Mund.
Die Brücken zerbrechen
vom Licht des Wassers.

Fluß, mit Geigenspiel
und Fahrrädern am Ufer,
elastischer Körper,
von Böschungen gestreichelt:

Du redest an Quelle und Mündung.

Unterwegs hinterläßt du
für Angler Almosen
und raufst dein Haar.

Die Algen
verschweigen dein Alter.

Ländliches Fest

Überfluß
an Vogelschnäbeln und
stehengelassenen Körben,
in die eine Blasmusik fällt.

Reiter sprengen
über Badezuber.

Der Landstreicherschatten
beugt sich verliebt
über den Bach.

Ganz oben die Luft
trägt einen schönen Bart,
an dem der Wind zupft.

Kleine Mädchen verkaufen
ihre Zöpfe für einen Kuß
mit Himbeergeschmack.

Die Welt ist eine große Wiese
mit zertretener Wasserminze.

Vormittag und Nachmittag

Warum nimmt mir der Nachmittag
die Namen vom Vormittag?

Die kleine Brise ist gealtert.
Die vollständigen Blumen
erstickten unter meinen Achseln.

Der Tag bekam eine Schlangenhaut.

Meine Augen wurden ein Gerede
anderer Augen.
Ich bin nicht mehr allein
mit dem Tau.

Vor die Tür habe ich
einen Stuhl gesetzt,
um nach den prophetischen Bäumen
des Morgens zu sehen.

Hinter meiner Zunge
lauert eine fremde Stimme.
Sie wird sich bald
für meine eigene ausgeben
und mir einen guten Abend
wünschen.

Winterliches Leben

I

Die Zuverlässigkeit des Dunkels.

Es ist Tatsache, daß nun
eine Hand die andere leichter findet.

Feuer werden angezündet
vor den Augen der Kälte.
Die Erinnerung an gestern
ist die Geschichte von morgen:
die Worte frieren im Munde.
Die Sprache stirbt
vor den Lippen
als Rauch.

Die Krise des Lichtes hält an.
Der Frost ist eine singende Maschine.
Ihr Ton ist weit im Land
zu hören.

II

Sprich Blumen ans Fensterglas:
es ist draußen Winter.
Die Gefühle der Landschaft
heißen Langmut
mit erfrorenen Flüssen.

Das wahre Leben
nennt sich weiß.

Das Kinderspiel mit Farben
ging zu Ende.

Merke dir unterwegs alles:
zwischen Hinweg und Rückkehr
wird Schnee fallen.

Sterblich

Sterblich wie Wimpel
und Gasflammen,
gehe ich dem Winde nach,
der an einem Haus zerbricht,
an einer Brust,
am Geheimnis der Brise,
die sich schlafend stellt.

Die Landschaft
einer zerrissenen Postkarte
in der Tasche,
suche ich nach einem Rest
blauer Emaille, um zu ihm
Himmel sagen zu können.

Eine eiserne Stimme
errechnet hinter mir
den Tod des kurzen Regens,
der schließlich
auf alles fällt.

Nachrichten vom Tode

I

Von einem erfahrenen Messer
wird ein Schwein getötet.

Der einfache Tod
des Käfers in der Luft
ist eine Übung der Stille.

Wer den sterbenden Holztauben zusieht,
überlebt in einem Märchen von Tieck.

Die geduldigen Krankheiten
gehen im Körper um:
in seiner Schwäche wird er
mottenleicht.

Allmählich verbrennt er
an einem unsichtbaren Licht.

II

Der Tod des Vogels im Ei
wird schwarz sein.

Langsamer Tod der Augen,
in die niemand mehr blickt.

Täglich das Sterben von Fingerspitzen
beim Einschlafen
unter dem kalten Brennglas
des Mondes.

Wandernder Sand begräbt
lebende und tote Zehen.

Es gab ein Gemetzel von Stimmen,
bevor Schweigen eintrat.

III

In der Nacht das Husten
eines Unbekannten.
Das Dunkel war ihm
durch die Kehle gedrungen:
ein schwarzer Stilett-Stich.

Die kopflosen Hähne
laufen lange
um ihr Leben,
wenn der Mittag Durst macht.

Die Rast
bei einer Flasche Bitterwasser
ist kurz.
Wir wollen aufbrechen,
solange wir in den Ohren
das Blut noch singen hören.

IV

Die Epilepsie der Augenblicke,
ehe es schön ist,
Ruhe zu haben.

Der Zenit stellt die Schatten
an die Wand.
Lautlos brechen sie in die Knie.

Am Himmel
die Schlacht des Lichtes,
wenn es Nachmittag wird.
Der Abend sammelt
die hilflosen Stunden ein.

Unter der Erde
sterben die Toten noch einmal.

Der Mörder

Ein Taschenmesser genügt,
um die Luft zu töten
mit ihren fliegenden Haaren
und der Erinnerung an alle Namen,
die arglos in ihr
zurückgelassen wurden.

Stoße zu. Du triffst
den Wind im Genick.
Als Staub stürzt er dir
vor die Füße.

Du hebst den Arm.
Gleich wirst du
der Mörder des eigenen Atems
sein.

1962

Vor dem Grasschnitt

Die Welt
ist voller Gras,
um Weibsbilder
und plötzliche Feuer
in ihm zu verstecken.

Versuche,
bei Atem zu bleiben,
der wie eine Kerze
flackert!

Die Schwüle
ist ein grünes Tier.
Mittag: – ein Bündel
abgelegter Kleider,
Zeit
der Blumenorakel.

Wer wagt es,
von der Schärfe der Sicheln
zu reden?

Es ist heiß

Ein Korb mit Schnecken,
der im Pappelschatten
Schutz suchte.

Die Weinbergarbeiterinnen
sehnen sich nach dem
kühlen Leib der Eidechsen.

Aber sie bleiben Frauen,
feuriges Gewürz
in den Augen,
mit denen sie
Kornhaufen in Brand setzen
können.

In der Ferne die Landschaft
knistert: buntes Papier,
das jemand anzündete.

Die Schatten haben
Salamanderfarbe.

Im Walde

Gehe immer weiter.

Es wachsen zuviele Bäume
und werden Wald, in dem
man sich verzählt.

Eichen, Erlen:
jede mit unsymmetrischen Schatten
und den Spiralen
der Vogelstimmen.

Du bist im Walde
nirgends allein,
wenn die Förster sich auch
hinter grünen Bärten verstecken.
Du hast verspielt,
wenn du nicht
an Märchen glaubst.

Sehnsucht

So weit fort von Schildwachen
für gelbe und rote Blumen,
von frischen Ferien der
aus Käfigen entwichenen Tiere!

Fernes Land, in dem
Himbeeren durch die Luft fallen
und Männer mit leeren Bienenkörben
die Kirchenstille einfangen.

Sehnsucht, Begehrlichkeit,
wenn die Augen
zu lange offen gehalten wurden,
mannbares Gefühl
wie heiterer Himmel
überm Pflanzenreich.

Leben lassen

I

An Flaggenmasten herrscht
rotes oder weißes Wetter
der Regierungen.
Ich gehe unter ihnen
mit offenen Augen spazieren.

Im rücksichtsvollen Himmel
über mir blüht es heute
wie Geranium.

Man läßt meinen Nacken
und meine Knie leben.
Auch meine Handgelenke
bleiben unbehelligt.

Die Hühner des Scharfrichters
nehmen weiter ihr Bad
im farblosen Sand.
Die Zeit wurde empfindlich
wie Farn.

Im Brief schreibe ich manchmal,
daß mein Kopf Bescheid weiß
und höflich nickt.

II

Geräuschlos werden
die Eßtische abgedeckt.
Die Luft ist überall
blau wie ein Häher-Ei:
Luft für fröhliche
Abgeordnete.

Wer möchte in ihr
tariflos bleiben?
Meine linke Hand
ist der Partner meiner
rechten Hand.

Nicht nur Kinder lieben das Rosa
von Papierschlangen.
Mein rechtes und mein linkes Auge
sehen gleichberechtigt,
wie die Bronzebestien
vor öffentlichen Gebäuden
immer hilfloser in zu häufiger
Sonne liegen.

Auf der Straße

I

Luftige Architektur der Beine
beim Wettkampf der Radschläger.

Ort der Taschentücher und
Kraftworte in einem
von Händen geschüttelten Licht.

Leute ohne Stundenplan
halten die Finger in den Wind
und freuen sich auf ein Wiedersehen
mit ihrem Spiegelbild
bei Regen.

Die Landwirtschaft
starb als Gras zwischen altem Pflaster.

II

Grau bis in die Bilderbücher,
hinter Fassaden aufgeschlagen.

Man schifft sich
mit ihm ein
und sagt verlegen,
es regnet immer noch

oder: ich trage
einen zu großen Hut.

Automatisch
werden die Augen offen gehalten.

Fürchte dich
vor keinem Erstickungstod
auf hoher See
unter Menschen.

III

Lärm der Wasserfälle

Ich gehe in einer Staubfahne
auf Zehenspitzen,
um niemanden zu stören.

So komme ich weit,
ohne meine Schritte
zählen zu müssen.

Sie bleiben zurück
wie der Geruch
von frischen Plakaten,
die mit Fäusten drohen.

Der Papierhändler
wartet geduldig
auf das Erbleichen
der Mauer-Grimassen.

IV

Ohne Orthographie
eine Gegend mit Reitern
und Radfahrern.

Ein Schauspieler
sagt sich selber auf,
weil der Morgen
so schön ist.

Stimmen und Geldstücke
fallen aus Fenstern.

Komm, Luft, kleine Schwester
über dem Asphalt,
mit soviel Erinnerung
an oben, wo es
keine Geräusche gibt!

Abend des Sieges

Ein Himmel zerrissenen Papiers,
der auf Gesichter ohne Sprache
regnet.

Es ermüdeten
die Muskelspiele
herkulischer Stunden.

Die getöteten Tauben
werden in der Luft
begraben.

Die größere Verwundbarkeit
der Empfindungen.

Der ungerührte Abend
schwenkt eine hochmütige Rose.

Farben

Schlafwandelnde Farben.

Das Wangenrot erinnert sich
des Ziegelrots.

Ein Lichtstrahl wird
zur exotischen Zeichnung
des Augenblicks.

Heimliche Liebe des Horizontblaus
zum Aderblau eines Mädchens.

Ein einsamer Mann
kritzelt ihm seinen Schatten
vor die Füße.

Jedes Gelb kennt die Geschichte
einer Zitrone.

Die Stille

Die Stille ist
eine geopferte Kadenz.

Sie hat keine schwere Zunge.

Sie trägt den Kopf gesenkt
und bietet ihre Stirn
allen, die schweigen können.

Lautlos verläßt eine Kugel
den Pistolenlauf.

Man überreicht einander
seinen mit Bleistift
gekritzelten Namen.

Er bleibt lange lesbar
für jeden Mund,
der seine Lippen
geschlossen hält.

Sommerblau

Aus Brunnen
blutendes Blau:
Wasser im Juni oder
August.

Licht: – eine
hemdlose Brust wartet
auf seinen Stilett-Stich.

Konische Landschaft
mit Pappeln und Staren,
dem Rotwelsch der Luft –
im Fensterrahmen
aufgehängt als Kegelschnitt
des Apollonios.

Mit verbundenen Augen
das mechanische Spielzeug
der Minuten in Gang setzen.

Der Mai

Physiologische Zeit.

Jeder bekommt
einen anderen Mund
und neue Finger.

Ein Körper ist eine Heimat.

Liebesminuten
der Landschaftsbeschreibung:
junge Tiere, Gebüsche und
durchsichtig gekleidete
Mädchen.

Die farbige Zone eines Gesichts.

Esperanto
der von Vögeln besuchten Luft.

Sprichwörter werden wahr.

Die Erinnerung an die Kühle:
ein Bündel weißen Papiers.

Die Vorsicht

Ständig ändert sich
über meinem Haus die Wahrheit.

Die Luft vor meinen Augen
ist nicht die Luft
an meiner früheren Hand.

Sie steigt
wie eine wetterwendische Katze
in den Baum, wenn ich
mit einer Wasserlache
rede.

Im Rücken einiger Gartenblumen
bereite ich mich vor
auf die Zuverlässigkeit ihres
unvermuteten Welkens.

Zaghaft entzünden sich
im unbekannten Fenster Kerzen,
wenn ich an die Nacht denke.

1963

Wenn es Tag wird

Erlkönig flüchtete
vor dem Morgenstern.

Unhörbar der Todesschrei des Dunkels.

Der geometrische Tag
verteilt Licht auf Gegenstände.

Ein Vorhang
senkrechter Nelken und Rosen
wird hochgezogen.

Die Kraft gebündelter Linien,
die eine Faust umschließt.

Gleich wird es blitzen,
oder zwei Hähne,
bunt wie Zuaven,
kämpfen um ihr Leben.

Ihr elliptisches Krähen
steht lange in der Luft.

Eine Landschaft für mich

I

In ihr
Minerale und Adjektive
sammeln.

Baumschatten lassen
verschiedene Beschreibungen zu.

Der Mittag verzehrt in ihnen
einen Fisch
mit geometrischer Flosse.

Meine Landschaft
macht hungrig wie Wind.

Wer lange Arme hat,
reicht an den Himmel.

Ermüdete Vögel
schlafen auf der Luft.

Aus Gewohnheit
farbige Früchte in Händen
halten.

Tradition langer Dämmerungen.

Die Nacht glüht:
ein Haufen Holzkohle.

II

Die glaubhafte Schönheit
einer Rauchfahne.

Das Gewissen
hat die Stimme eines Echos
am Horizont.

Vierteltöne einer Melodie
aus Weidenholz:

das erregte Geräusch
verliert sich wie Mottenflug.

Die Fläche schwarzer Oliven,
gestern von Euklid geordnet.

Ich lasse sie
vor meinen Augen
im trockenen Licht schweben.

III

Über einem salzigen Strand
die Spiegelung von Ruderbooten.

Nasse Rosen riechen: –
eine Ankündigung des Todes.

Kreuzfahrten durch Grün:
sein Schweigen
ist unübertragbar.

Pflanzenstaub auf meinen Lidern.

Das zerbrechliche Gesicht von Tagen,
in denen Laub fällt.
Vorsichtig beugt man sich
über sie.

Die Selbstmordrosen duften
nach vergangenen Gedichten.

Vergangenheit

Vergangenheit, dehnbare Tabelle.

Mechanische Liebe
für ihr trauriges Latein.

Kristallurne,
mit altem Wasser angefüllt.

Totentanz
untereinanderstehender Zahlen.

Salzsäule,
die höflich winkt.

Unordentliches Grab
für die blaue Ebene der
Jahreszeiten: –

dein errechenbarer Schatten
auf meinem Gesicht.

Angesichts einer Landschaft

Diese Landschaft wie ein
nationales Lied.

Ihr vielzugrüner Bart im Wind.
Er ist zu alt
für die Vögel, die sich
in ihm paaren.

Dazu ein Himmel
mit leisen Sohlen,
Gedichthimmel,
großer Augenaufschlag.

Der grüne Anstrich überall.
Er färbt die Finger
und die falschen Töne.

Die nationale Luft
steigt in die Luft.

Erinnerung an Preußen

Preußen, so tot wie
jedes Reiterstandbild,
weiß von Taubenkalk.

Deine Augen: kalt und blau
wie die Geschichte
auf brandenburgisch.

Sand fiel durch sie
schon vorgestern.
Die Mörser und Minister
begrub er, Könige,
Kinderspielzeug
aus Blei und Zinn.

Dein präparierter Adler
für den Stubenzoo.

Die ausgestopfte Zeit
der Gloria stirbt immer noch: –
Kinder lesen
im Märchenbuche deiner Macht.

Müßiggang

Das Licht ist
ein goldenes Insekt
bei geschlossenen Augen.

Worte wie Finger
zählen:
nichts für Grammatiker.

Ein Satz
liegt auf der Hand:
identisch
mit der Schale einer Orange.

Niemand spricht ihn aus.

Von oben kleine Geschenke:
Schriftbild des Schwalbenflugs
oder der gespiegelte Umriß
einer Frau.

Luft: cava amoris.

Ihr Seufzen: Rückfall
des Schweigens.

Leere

Den Blick auf einen
grauen oder roten Stuhl heften.

Katzengeruch des Eukalyptus.

Zwei Augen sehen schon
zuviel in vier Ecken.

Schräglicht: Typograph
einer überlebenden Wand.

Stummfilm mit
ausgestopftem Vogel,
den ein ausgestopfter
Marder beschleicht: –

kein Ende nach dem Tod.

Der verhängte Spiegel
versucht vergeblich,
mich zu widerrufen.

Im Frieden

I

Frieden. Die ruhigen Leute
lassen ihr Haar wachsen.

Die rücksichtsvolle Prosa
ihres Umgangs.

Scharfe Luft, wenn eine
Halbwüchsige in einer
Kasernenruine pißt.

Meine Blume blüht
dauerhaft.

Liebet eure Feinde:
geregelte Gleichgültigkeit.

Ländliche Tage überall,
unschuldig wie Heuhaufen
aus der Kindheit
Restif de la Bretonnes.

Keine großen Geläute. Frieden.

II

Die schlechtbezahlte Tätigkeit
des Erkennens.

Ja, die Stadtränder mit den
schönen Betonmischmaschinen!

Hans und sein Glück
auf der tätowierten Brust.

Die übergelaufenen
Fallschirmspringer
sind seit langem gestorben.

Mein Freund, der Pastetenbäcker.

»Die Liebe erinnert uns
an unsere gute Erziehung«.

Die errechnete Zukunft
ist eingetreten:
Langeweile.

III

Sich gehen lassen.

Nur noch auf einer Briefmarke
zu erkennen: der Staat.

Die Schwermut macht Fortschritte:
Schifferstündchen
unter langsam faulenden
Fischen.

Kleine Früchte, geformt
wie ein Tumor.

Sieg der Ellipse
über den Tod.

Dahinleben.

Zeitlos

Der Inhalt der Sanduhr,
in ein Tuch verschüttet: –

Du kannst die Zeit tragen,
wohin du magst.

Ihr gebrochenes Herz,
wenn die gesammelten Stunden
in der Tasche vergessen werden.

Die Überlebenden
sind sorglos. Manchmal
spüren sie ein Staubkorn,
das im Auge reibt:

zaghafte Vergänglichkeit.

Vorübergehend

Kurzes Rezitativ.

Die Augen bleiben enthaltsam.

Eine Gegend von geringer Dichte
wie Helium.
Nur durcheinandergeworfene Gebüsche
ohne Mördergruben.

Gib mir deine Hand
aus der Luft,
solange sie sich
ungeschickt über mir hält.

Langsam beuge ich mich
über ihr Phantom.

Melodie

Langsam, langsam.
So schnell
vergißt eine Melodie
ihren Anfang.
Valéry liebte Gluck.
Ich sitze in der Luft
mit einem Lied unterm Hut
oder mache es anders
in einer Falternacht
pour le piano, ohne Alter,
drei Terzen weit, vier
Quarten im Dunkel.
Man kommt voran,
wenn man den Mund öffnet.
Das Singen besorgt
ein anderer.

Entfernung

Von langer Hand
vorbereitet: die Entfernung
von Hand zu Hand,
ohne Namenstag für
die linke oder rechte,
nur zweimal fünf Finger,
nicht schwer zu zählen.
Niemand zählt
zweimal bis fünf für
die eine wie die andere,
wenn sie weit voneinander
tätig sind oder ausruhen
ohne Gute Nacht und
Schattenwerfen vor einer
besorgten Lampe.

1964

Im Frühling

Immer noch werden
idyllische Geschäfte besorgt.

Zeit ohne strenges Profil,
mit der Greisenerscheinung
des geflohenen Winters.

Einer schneidet Vignetten
und verstreut sie als Vögel
zur Liebkosung der Luft.

Häuser bekommen über Nacht
Gärten, in denen
das Licht scherzt.

Hölty's Freund mit
den schönen Gedanken,
die unsterbliche Locke
im Wind.

Blühen

Blühen
kennt keine
perspektivische Störung.

Phantasien der Licht-Uhr:
Grün, das von Baum zu Baum
fliegt.

Die Natur ist älter
als Rousseau –
Unschuld der
sichtbaren Vergnügen.

Mit offenen Armen
stürzt die Zeit
in die Geschichten
duftender Vegetation.

Schlaflose Luft
trägt die Samen davon.

Im Rücken den Sommer

Frédéric Mistrals Pilgerflasche,
mit Wein gefüllt.

Ich habe im Rücken den Sommer,
eine Dichtung
von Brot und Zwiebeln.

Orbis terrarum aus Steineichen
und heißen Hufeisen.

Landstreicher zünden Zigaretten
mit der Luft an.

Unter den Nägeln
nimmt der Staub zu.

Schatten werden
von endemischem Fieber
geschüttelt.

Dünne Schuhe verlieren sich
im unbeschnittenen Laub.

Romantisch

Kinder kommen mit Kindern
aus einem richtigen Wald.
Der Löwe aus Blech,
vertrieben vom Peitschchen der
Hülsenbeckschen Kinder.
Die arglose Gegend ist
immer im Recht.
Irgendein Peter
bleibt ohne Wolf Peter.
Eine Holztaube fällt
ängstlich vom Ast durch die Luft.
Das Gras wächst weiter
nach oben für neue Geschichten.
Undine findet
ins richtige Wasser zurück.

Kindertheater

Unverständlich die Luft
der verschwommenen Häuser
und Blumen für ein
Kindertheater.

Man spricht mit sehr hohen
Stimmen eine Handlung aus
verwackelten Buchstaben.

Plötzlich
der natürliche Ton
bei apokryphen Ereignissen.

Jemand wird zu niemand.

Vorher das Aufsagen
des eigenen Lebens
im fremden Dialekt.

Vorläufig

Vorläufig bleibt
meine Hand handfest.
Brentanos Nachgefühl
»Wie steigst du so ganz leise« –
zwischen den Fingern
zerfällt das. Und du,
schönes Märchen, beginnst
vor meinen Augen, wenn alles
anders wird.

Vorläufig bleibt
meine Hand in der Luft
hängen, in glücklicher Lage,
auf deinem Nacken, wie steigst du
so ganz leise und vorläufig
dem Druck unserer Hände
entgegen.

Entstehung einer Stadt

Unvorbereitete Straßen
bekommen Häuser
aus kleinen und großen Steinen,
mit Menschen,
die vor die Tür treten oder
durch Gardinen fallen,
ihre Augen im Schoß
der Nachbarin. Einzelne Bäume
werden eine Allee.
Nach jeder Richtung
sind Fenster geöffnet
mit widerrufenen Nachrichten
über Spaziergänger mittlerer
Größe. So geht das gesellig
weiter. Das Wachstum
ist nicht mehr aufzuhalten.

Sonntagswetter

Ich stehle mir Sonntagswetter
mit Tralala, dienstags,
es ist so traurig, ein Wochentag
gleicht dem andern,
schwer zu beschreiben, ich sattle
die beste Frau, reite
mit ihr durch die Sonne,
das Lied auf den Lippen
hört nicht so rasch auf,
überhaupt ist das Glück
nicht faßbar in einem Satz.
Vorsichtig fühl ich
die Grenze des Körpers, wie er
seine Eigenschaften verlernt
und nur da ist.

Seestück

Da angelt kein Mensch
einen Schellfisch
vor lauter Küste!
Verschiedene Dampfer
fahren vorbei, beliebig,
als wäre überall Wasser,
das bis auf den Grund
naß ist. Die Oberfläche
bleibt schiffbar und blau,
eine Postkarte lang,
die man von Bord schreibt.

Gefühl für die Nautik
hat niemand, solange
er nicht an Land steht
und winkt.

Solo für eine Singstimme

Nimm das hin.
Laß es mich ruhig
versuchen –
tonlos zunächst, ein ruhiger
Singvogel.
Du sollst nicht denken,
daß ich an meiner
Stimme ersticke.
Bei zugehaltener Kehle
singt es sich einfach und kurz.
Das kann eine Weile
gutgehn. Du mußt nur
dabei dir nicht auf den Mund
sehen, die Nachtigall läßt
auf sich warten.

Ohne Anstrengung

Ohne Anstrengung,
nur so, gedankenlos
dieses und jenes – den Tag
als Wäscheblau auf der Leine,

Ravels künstlichen Finken
in der kichernden Luft, »ich fühle
sein Herz schlagen«, ein fremdes
Bewußtsein verlieren und weiter
zu kommen versuchen,
spurlos die echte Landschaft
mit richtigen Bäumen
auf sich beruhn sehn,
ohne Anstrengung, so weit wie möglich
den Kinderhimmel zu blau belassen –
nur so.

Ariel

Auf irgendwas
ein Gedicht, wie wenig,
denkt man, und turnt
den Handstand im Wind
aus anderer Richtung.
Die Zehen tragen den Himmel,
die Wolke wie Frauenhaar
weht durch die Luft, und so froh
bleibt ein kleiner Engel.
Sein Bilderbuch hält er
mir vor. Meine Übung
macht müde, am Ende
kommt man doch wieder
auf seinen Füßen zu stehn.
Irgendwas
ließ ich aus, vielleicht nur,
wie zwischen den Beinen
die akrobatische Landschaft
ganz oben ist, dauernd
zu hoch.

Verzeichnisse der Gedichte

Zum ersten Male veröffentlicht sind die Gedichte ›Farben‹, ›Sommerblau‹, ›Der Mai‹ und ›Vorsicht‹ aus dem Jahre 1962 und alle Gedichte der Jahre 1963 und 1964. Die früheren Gedichte wurden den Bänden ›Heimsuchung‹, 1948; ›Die Zeichen der Welt‹, 1952; ›Wind und Zeit‹, 1954; ›Tage und Nächte‹, 1956; ›Fremde Körper‹, 1959 und ›Unsichtbare Hände‹, 1962 entnommen.

Verzeichnis der Gedichte nach Jahrgängen

1956

1957

1958

1959

1960

1961

1962

1963

1964

Alphabetisches Verzeichnis der Gedichttitel